フェイクを
見抜く
最強の武器

批判力

えらいてんちょう
矢内東紀

実業之日本社

はじめに

よく「批判するのはダサい」「批判なんてしてしていないで自分のやりたいことをやろう」と言ってくる人がいます。こういったことを言う人間は、**非難や誹謗中傷と批判の区別ができていませんし、批判の意味や役割を無視している場合が多いです。間違っていることに対して間違っている、悪いことには悪いと言うのは当たり前**のことです。

極端な話ですが、「ネコ」を見て「これはねずみだ」「鳥類だ」と言っている人間に対して、「いやそれはネコですよ」と言うと「批判するのは良くない」「批判するだけでお前は何を生み出しているんだ。批判してないで行動しろ」と言われることが本当に多いのです。ネコやねずみというのはもちろんたとえですが、要するに、事実誤認や極端な評価の違いに対して指摘すると、批判をするなと言われる世界がある。おかしいことにはおかしいと言わなければいけない。当たり前のことです。しかし現実には、その当たり前が通用しない世界がある。

それが可視化され、目立つようになった背景には、インターネットの発達とＳＮＳの発展があります。**誰でも発信ができる世の中になったことで、そういった事実誤認や極端な評価の違いが区別できない人、批判と罵詈雑言の違いがわからない人が可視化されている**のです。

思想家の内田樹先生がよく引き合いに出す小説家の村上春樹氏の言葉に**「時代によって知性の総量は変わらない」**というものがあります。私もその通り、そのような批判と罵詈雑言の区別ができない人の数が増えているわけではないと思っています。

ではなぜ、そういった人が増えているように見えるのか。それは、**誰でも発信できる世の中というのは、ネコをねずみだと思ってしまうような人でも発信でき、それが目に見えるようになった**からです。

これまでは、そんな人間の声がこれほど遠くまで聞こえてきたり、大きくなったりすることはあり得ませんでした。そういった人間には「発信手段」が存在しなかったからです。しかし、いまは違います。TwitterでもYouTubeでも誰でも声が上げられます。それはもちろん大きなメリットを生み出す一方で、**「間違った声」を増幅させてしまう危険とも表裏一体**です。そのうえ、それらの**「間違った声」は目立ちやすく、目立つものは増幅する可能性が高い。**増幅し、間違ったものが伝播（でんぱ）する。ネコを見ていた人たちも「確かにあれは、見ようによってはねずみでもおかしくないか」といった具合に伝播する可能性が増えてくるのです。

そこに着目するのが悪い人間です。彼らは**ネコをネコだとわかっているにもかかわらず「ねずみがネコだっておかしくないじゃないか」と言うことによって、判断能力の低い人や何かに悩んでいる人たちを煽動（せんどう）していく。**みんながそう言っているからそう言っておけば儲かるという理屈で、煽動する人間が現れているのが現代の特徴の一つです。

みんな「起業」なんてできない

よく「月額〇〇円で誰でも簡単に起業できる！」とうたう起業塾とか、最近だとオンラインサロンなどもよく見かけますが、あえて極端に言いますが、当然、**全員が全員起業なんてできません。**月1万円とか年間いくらとかの起業塾にお金を払ったところで起業なんてできない。それに踊らされてしまうのは、ねずみをネコだと思ってしまうような人間が多いうえに、「起業できるよ」と言ったほうが得な煽動する側がそう言っているに過ぎないのです。

そして、**煽動する人間は「批判には耳を傾けるな」と言って、ネコをねずみだと言いくるめたほうが得をします。**

周りを見てください。そういった本がたくさん並んではいませんか。この本の横にもあるのではないですか。有り金全部使えと言われて使い、その金はどこに行くのか考えてみてください。それを言う人間たちのところに行くのです。そういう本がたくさんありませんか。それはポジショントークと違いますか。

そういった**気持ちが良くなる情報に踊らされないようにするためには、常に批判的な視点を持っておくことが大切**です。

できない自分を認める

そういうなかにあって**「やはりネコはネコである。魚類ではなく哺乳類である」というごく当たり前のことを言うほうが、逆に価値を持つようになってきています。**

本来、物事というのは、そこからしか始まりません。ネコはネコであり、ネコは哺乳類です。ネコがかわいいかかわいくないかは、また別の問題で、それには議論の余地がありますが、ネコはネコであってねずみはねずみという事実は、何があっても変わりません。いま起業できない人間が起業塾に通ったところで起業できるようにはならないのと同じです。

私は『しょぼい起業で生きていく』（イースト・プレス）という起業の本を書いていますが、あれはどうしてもサラリーマンが無理だという人に、最後の手段としての起業のすすめを書いている本で、サラリーマンを続けられるのであれば続けたほうが良いと主張している立場にいまも変わりはありません。

「いまの時代は簡単に起業できる」と言われますが、実際はそんなに簡単に起業して食べていけません。はっきり言ってそんなに簡単ではないのです。たとえの流れから言えば、ねずみである自分を認めること、まずはできない自分を認めて、そのなかで〝現在〟の自分に〝何ができるのかを知ること〟でしか、自分を高めていくことや理想の自

分になっていくことはできないのです。

私が敬愛するイスラム法学者の中田考先生は、

・何をすべきか
・何ができるか
・何がしたいのか

これらを考え知ることが大切だと主張しています。

このなかでも「何ができるか」が大事です。したいことがすべきことであっても、できないと仕方がありません。だから、能力を超えたことをただ所望し続けることは非常に不幸なことであり「夢を諦めるな」とか、そういったことがことさら言われますが、できないものはできないのです。そんなものはさっさと諦めて、**自分のできることで、かつすべきことをしていく**のが重要です。

「理想の自分を諦めるな！」と言うことで儲かっている人間がいる。そういう人たちは「批判をするな」と言う。

でもそれは本当に正しいのでしょうか？

そうやってあなたたちにモノを売るためのポジショントークではないでしょうか？

そこに気づき、できない自分を認めることからしか、自分を高めたり、本当にできることを発見したりすることはできません。**「批判力」とは、そういったできない自分を認め、真っ当に生きていくために必要な力**なのです。

はじめに　2

第1章 批判の理由　19

第2章 熱狂を疑え

第3章 批判と行動

第4章

ブックデザイン　ファーブル（西村巧　佐藤信男）
帯写真　　　　　高橋淳司
校　正　　　　　くすのき舎
編　集　　　　　白戸翔

第1章
批判の理由

批判は物事を良くするための最初のエンジン

私はこれまで、主にはネット空間を使い、さまざまな「批判」をしてきました。批判の対象は人物、オンラインサロンやコミュニティ、宗教や政党、カルト……と多岐にわたります。

あまり信じてもらえないのですが、私は平和主義者です。争いは好みませんし、できれば静かに暮らしたい。私には家族がおりますし、あえて危険に身を晒(さら)したくありません。

しかし、「間違った」ものが目に飛び込んできたとき、それを放ってはおけないのです。批判したくてしているというよりは、シンプルに「間違った」

ものに「間違っている」と言っています。

間違っていることを言っている人に、「間違っている」と言う。すごく単純な話です。しかし、「はじめに」でも書きましたが、批判をすると「批判するだけでお前は何を生み出しているんだ。批判してないで行動しろ」などと言ってくる人がいる。おそらくこういった人の多くは、批判と非難・罵詈雑言の区別がついていません。または、間違っているとわかったうえで、間違っているものを間違っていないと言うことで利益を得ようとしています。

あらゆる物事の改善には、批判が必要です。改善やアップデートと言われますが、**いままであったものを引き継ぎながら、そのうちの良いところは残し、悪いところは直していく。批判は、そのための最初のエンジン**です。

例えば、私たちは日本語を話します。「しゃべっている」というのも一つのテーゼというか状態なわけです。そして、そのなかで様々な価値観や情報を吸収しながら大人になっていきます。判断能力を持っていくと言ってもいいでしょう。

私たちは、そのような成長の過程の中で、**自分が持っている価値観における修正すべきことや、あるいはそのままにしておいても良いといったことを、無意識に分けていきます。**

このような試行錯誤がなければ、人間とは言えないというか、成長する機会を失うことになります。夏目漱石も「精神的に向上心がないものは馬鹿だ」と言っていますけれど、ここで言う**「精神的向上心」**は、**価値観のアップデートのこと**です。

また、ドイツの哲学者・ヘーゲルやマルクスが唱えた正反合という概念があります。簡単に言うと、**あるテーゼに批判を加えることで、より高いテーゼに移っていく**という考え方です。

この考え方が全面的に正しいとは思いませんが、「ちょっと待てよ。この考え方は間違っていないか？」と批判を加えることによってしか、いま持っている「考え方」を進歩させられません。

ですから、**批判を加えないのは、一生そのままであることの肯定であり、未来永劫変わらないということは、時代の変化や変化していく人間、私たちのなかにあって淘汰されてしまうもの**になります。

21世紀を生きる私たちは、洋服を洗うために電気洗濯機を使っていますよね。しかし、昔は手でゴシゴシと洗っていたわけです。そしてある時、誰かが「手で洗うのははなはだ不便だ」ということに気づき、「こんな洗濯の仕方では時間がもったいない！　他の方法を考えよう」と現状の方法に批判を加える。文明の進化は、そういう批判から生まれているわけです。別に手で洗っていたって生活はできますから、「手で洗うことの何が問題なんだ」と無批判でいれば、そのまま手で洗い続けることになります。しかし、「このままだと大変だから新しいものを作るべきだ」という批判があって初めて進歩というものが生まれる。

それは技術の視点においてもそうですし、思想の視点においても、価値観の視点においても同じです。

だからこそ、**批判をしていかないと、悪いものは悪いまま放置されるし、進展しないものは進展しないまま変わりません。**批判は、物事をより良くするための最初のエンジンなのです。

批判の意味

改めて、「批判」を辞書で引いてみましょう。

1. 物事に検討を加えて、判定・評価すること。「事の適否を批判する」「批判力を養う」
2. 人の言動・仕事などの誤りや欠点を指摘し、正すべきであるとして論じること。「周囲の批判を受ける」「政府を批判する」
3. 哲学で、認識・学説の基盤を原理的に研究し、その成立する条件などを明らかにすること。（goo辞書）

「批判的思考法（クリティカルシンキング）」という言葉もあります。

物事や情報を無批判に受け入れるのではなく、多様な角度から検討し、論理的・客観的に理解すること。批判的思考法。（goo辞書）

例えば、学術論文は、「これは本当なの？」という批判的な検討を入れることが大切です。そして、論理構成に怪しいところはないかと疑いの目で読まれ、これらの**批判に耐えることによって初めて正しさが証明されます。**

こういったことからもわかる通り、「批判をするな」というのは間違った指摘なのです。**批判は物事を正しい方向に導くために必要な行為であり、批判しないほうが何もしていないのと同じ**です。

反対に、**批判せずに発信された情報を疑いなく受け入れていくことは、似非科学やデマの流布につながる危険があります。**

似非科学とデマの流布

「ソーカル事件」という有名な事件があります。

ロンドン大学の数学教授でニューヨーク大学の物理学教授でもあるアラン・ソーカルは、デューク大学出版が発行する学術誌『ソーシャル・テクスト』にめちゃくちゃな内容の論文を意図的に送るのですが、『ソーシャル・テクスト』はこの論文をそのまま受理し、掲載してしまいます。ソーカルは掲載後に「論文の内容はデタラメだ」ということを暴露。これが大騒動に発展します。ソーカルはこの論文がデタラメだと見抜けなかったポストモダン思想家を、インチキ野郎だと糾弾したのです。

これはフランスのポストモダン思想に対する大きな批判でした。もちろん、このやり方に対する批判はありましたが、その後ソーカルは、この事件をもとに『「知」の欺瞞――ポストモダン思想における科学の濫用』（岩波現代文庫、訳・田崎晴明、大野克嗣、堀茂樹）という本を書いて、イグノーベル賞を受賞しています。

このエピソードは、**「教授」や「学術書」、「大学名」など、権威的なものは判断材料にはなるけれど、情報の正しさを保証するものではないということを示し、いかに人がそういったものに踊らされ、自分たちの都合の良いように情報を扱うか**を教えてくれます。

そのような専門誌でさえも、少し油断すると、間違った情報をそのまま受け入れてしまうことがわかります。ですから、間違ったことには間違っているという批判を加えておかないと、その間違いが見過ごされ、そのまま社会に浸透してしまう可能性があるのです。

学問分野だけでなく、政治や経済をはじめあらゆることに対して、批判的な視点を入れておかないと、個人の独断やウソがまかり通り、間違ったままどんどん先に進んでしまうということが起こります。

政治の世界では、野党の自民党批判を見ない日はありません。その批判に対して「代案を出せないのに批判ばっかりしやがって」「政権交代するためにはそんなくだらない批判ばっかりするな」「批判ばっかりして無駄な金を使いやがって」といった批判が寄せられます。

もちろんそう言いたくなる気持ちもわかりますし、数で負けているので結局政策は通りますが、それでも**「この政策はおかしい、なぜなら」と批判する人がいないと、めちゃくちゃな政策がまかり通ってしまう恐れがあります。**だから、それが有効で意味があるものであれば「批判をするだけ」でも重要なのです。

宿題をやることは無意味ではない？

いまは、誰でも情報発信ができ、その情報を選んで取ることができる時代です。なおさら、この**ソーカル事件のようなことが、身近なレベルで起こる可能性が高い時代**とも言えるでしょう。だからこそ、すべての人に批判力が求められているのです。

以前、メンタリストのＤａｉＧｏさんが「【衝撃】宿題が無意味であることが科学的に証明されている件【ゆたぼんくんは若干正しい】」（現在は「宿題が無意味であることが科学的に示唆されている件」に改題）という動画を公開し、その根拠としてある論文を引用しました。しかし、少し調べてみると、実際にはその論文には「宿題は正しく出せば効果がある」と記されていたのです。

これは少し気をつけて読めばわかることで、この論文から「宿題をやることは無意味である」と、少なくとも「断言」することはできません。ＤａｉＧｏさんの発言を盲目的に信じてしまう人は必ずいるので、こういった論文引用には細心の注意が必要で、断言するのはとても危険です。


例えば小学生の子どもを持つ親がそれを真に受けて「小学生の宿題は無意味だから無視して構わない」となってしまえば、教育現場にも混乱が出ますし、子どもの学力にもマイナスの影響が出てしまいます。

「宿題」については私も専門家ではないので無責任なことは言えませんが、宿題に関する論文について少し調べれば、様々な見解のものが出てきます。

そのなかに「オックスフォードラーニング」というアメリカやイギリスなどを中心とした家庭教師グループが、宿題に関するエビデンスをまとめたものがあります。そのうちの一つの主張では「宿題は出しすぎると良くない」とあるんです。他にも「毎日10分が良い」とか「1週間で10時間を超えると良くない」とか、いろいろな研究論文が出ていて、「宿題は一切良くない、害しかない」と断言するのは危険であることがわかります。これらは少し調べれば出てきます。

そもそも「学問」は、前の研究を前提として、それをもとに新しい研究を積み重ねることで成り立っています。○○大学の研究だから正しいとか、そういったことではないのです。とくに**「教育」という、子どもの将来が懸かっている、それでいてこれといった解がない分野では、より慎重な研究が求められますし、そんな簡単に結論なんて出せません。**専門家ではない私が少し調べただけでもこういったことがわかります。

以上の理由から、「宿題は無意味である」という断言に対して、私は「宿題は無意味ではない。その主張は間違っている」と批判しました。

一応断っておきますが、私はＤａｉＧｏさんの人格や、彼がこれまでやってきたことを否定しているわけではありません。「宿題は科学的にやる必要がないと証明されている」とその動画のなかで断言していたので、「それは違う」という真っ当な意見を申し上げたのです。

正直、これを何の影響力も持たない人が発信していたとすれば、目にも留まらないし、スルーしていたでしょう。

しかし、ＤａｉＧｏさんには多くの支持者がいます。彼が運営する有料会員コミュニティには約15万人が登録しています。このなかの全員が全員そうだというわけではありませんが、「この人の発信する情報はすべて正しい」と疑いなく受け入れてしまう人が多いはずです。**特定の人のもとに集まる閉**

じたコミュニティは、そのトップの人が「間違った情報」を発信してしまった場合に、それを鵜呑みにしてしまう確率が高い仕組みができているのです。

その後、その動画には追加情報が出され、「宿題はやる意味がない」という断言のタイトルではなくなりました。ある程度、批判の意味はあったのかなと思っています。

影響力のある人だからこそ批判が必要

このように影響力がある人だからこそ、「間違った情報発信」や「間違った行為」をした場合、「間違っている」とストレートに批判する必要があります。**自分の影響力を無視して、深い考えもなく間違った情報を拡散すること**とが社会に悪い影響を及ぼすのは、考えるまでもありません。間違っていることをちゃんと批判しておかないと、それが間違ったままどんどん成長してしまいます。

それは、歴史を見れば明らかです。影響力のある人が発した誤った発言を、「間違っている」と批判しないと、それはそのまま世の中で受け入れられてしまう。

もちろん、私も間違ったことを言ってしまうことがあります。それは過去に何度もありましたし、いまでもあります。そのたびに自分の過ちを受け入れる、省みることは大変難しく苦しいことですが、それでもその都度振り返って正していく。そのように**自分自身に対しても、批判的な視点を持たなく**

てはなりません。

ダブルスタンダード

これまでのことは事実レベルの話でした。事実でないことに「事実でないよ」と言うのは、ごく当たり前の話です。

それ以外に批判すべきこととして**「ダブルスタンダード」**があります。**ダブルスタンダードとは、二重の規範のこと**を指します。

規範には「宗教」や「因習」など様々なものがあります。あるいは地域の決まり、法律なども規範です。そのすべてに通底しているのは「ダブルスタンダードは良くない」ということです。二重の規範は良くない。

例えば、ネコを食べていいか食べてはダメか？　という話があったとします。そこで「ネコを食べることは良くない」と言いながら食べるといった、**自分が立てた規範に反することをするのがダブルスタンダード**です。規範自体が違うというのは全然あり得ることだけれど、自分が定めた規範に反することは良くない。これが大前提にあります。

誰でも無自覚でいるとダブルスタンダードに陥ってしまう可能性があります。ただ、それに気づいたときに自分を正せるかどうかが大切です。

ですから、それに気づいているにもかかわらず開き直る人は信用に値しません。気づいた時に、次はやらないようにしようと反省できるかどうかに、その人の人間性が問われます。

私が犯した不正

私は、小学生の頃にカードゲームでやってしまったごくわずかな不正行為を思い出して未だに恥じ入ることがあります。

その時、その不正行為には私しか気づいていませんでした。私は、そのゲームで結局負けてしまったのですが、本当に負けて良かったといまでも思っています。**「不正な行為は良くない」と知っていながら、その規範に反してしまったこと**は、いまでも思い出してしまうのです。

ゲームの中で不正をしてはならない。これは当たり前のことです。ウソをついてはダメということも、当たり前のことですが、人間誰しも間違いを犯してしまうことがある。咄嗟(とっさ)にウソをついてしまった経験は、していない人のほうが少ないと思います。

でも、それをすると、自分の魂の根源の部分が著しく傷つけられてしまいます。だから、そういったことは自分のためにもすべきではないのです。外形的にはたいしたことはなくても、**自分自身の正義感に反する行動をとってしまった事実は、その人の人間性の深い部分を傷つけ、その傷は生涯消えることはありません。**自分自身にウソをつくことは、一度やってしまえば慣れてしまうし、外から見れば何も変わりません。尊厳を差し出したことも簡単に忘れることができるでしょう。しかし、それは人間性の最も重要な部分を傷つけ、将来にわたって回復されることはないのです。

「そんなたかだか小学生のカードゲームで」と思う方もいるでしょう。しかし、私の場合はゲームで負けたくないという思いで咄嗟にしてしまったその不正が、いまでも自分を傷つけています。おそらくそれは、一生涯自分を傷つけますが、それは傷つかなければいけないし、傷つかなくなったら人として終わりだと思っています。

批判を受け入れる必要はない

私は、批判を非常に大事なことだと考えていますが、だからといって**批判された人が直ちにその批判を受け入れなければならないとか、批判されたら応答しなければならないとは一切思っていません。**なぜなら、**批判を受け入れさせようとする、応答させようとする行為は、大変危険な考え方にもとづいているから**です。

適切な批判をすれば、わかる人には「適切な批判をした人」だとわかるし、適切な批判を受けたにもかかわらず、適切に返さなければ「真っ当な批判をも受け入れない人」と評価されるだけであって、それ以上でも以下でもありません。対応しない人に対して対応を迫るのは、連合赤軍の総括と同じで避けなければなりません。

前提として、規範に反するような人間はたくさんいるということです。そのような人間に批判を受け入れさせて、正そうとするのは難しいことであり、その行き着く先は**「批判を受け入れない人間を消す」**という考えです。「規範に反するコイツはクズな人間だ！　クズな人間をなきものにしてしまおう！」というのは、日本で言えば連合赤軍、カンボジアではポルポト政権、中国であれば毛沢東率いる中国共産党による文化大革命と、大変危険な思想につながっていくことは、歴史が証明しています。本当にこれは地続きです。

規範に反する人を見つけて「あいつは規範に反する人間だ！　罰しろ！」と言ってすぐに処刑するといったことは、歴史上、様々な場所で行われてきました。

ですから、批判はもちろんするのですが、それを強制的に相手に受け入れさせるというのは、越えてはいけない一線なのです。

私が誰かを批判して、相手がそれを受け入れて直してくれた場合「この人は批判を受け入れて直してくれる人なんだ」と、相手に対して肯定的な評価をしますよね。でもそれはあくまで私の問題であって、相手の問題ではありません。それは「魂」とか、日本的に言うと「お天道様は見ている」という言葉がありますけど、**最終的にはそういった目に見えないものが判断をすると心に留めておくことが大切です。**

豚肉を食べるムスリムも認める

中田考先生と中核派（警察からは「極左暴力団」、マスコミからは「過激派」と呼ばれる新左翼の二大党派の一つ）のある人物がすごく興味深い話をしていました。

中核派の人間は、労働した人間が中心になる世の中こそ正しいという思想を持っています。「労働者が権力を持たなければいけない」という彼らの主張に対して、中田先生が「それでは、労働しない人間はどうなるんですか？」と聞くと、彼らは「それは、みんなが労働するようになるんだ」と言うんですね。その考えでいくと、**「それはすなわち労働しない人間は消すっていうことですよね」**という結論に行き着きます。それは歴史的にもそうだったのです。

規範に反する人間は、いつの時代どの社会にも存在します。規範に反する人間はたくさんいて、イスラム社会でもお酒を飲むムスリムもいれば、豚肉を食べるムスリムもいますし、礼拝しないムスリムもたくさんいる。

ただ、それはダメなムスリムとして認知されるのであって、それ以上でも以下でもありません。**規範に反したからといって、直接的に刑罰を受けることもなければ、ムスリムとして存在することを認めないというのでもなく、「あいつはダメなヤツだなぁ」と言って終われるのが適切な共同体**です。

「ダメな人間をダメじゃないようにしよう、お前、目を覚ませ！」と強制して批判を受け入れさせるというのは絶対にやってはいけません。それを強制するのがいわゆる〝カルト〟です。

批判に対するあるべき態度

適切な批判をされたときの態度として、政治系ユーチューバーのKAZUYAさんが、Twitterでとても良いことを言っていました。

「自分では是々非々のつもりでも、是か非か極端になっていないか？　そして部分的な指摘で全否定されたと過剰な反応をしていないか？　自分はインディペンデント（独立）のつもりでも、いつのまにかディペンデント（依存）になっていないか？　自分自身含め、誰もが陥る可能性があることだと思います」

これはすごく大事なことです。先ほども言いましたが、私はその人の間違った行為そのものを批判しているのであって、その人全体を否定しているわけではありません。そこは気を付ける必要があります。

そして、批判を受けた人の多くが、その批判に対する反論として「あんなやつの言うことは信用ならないから聞く必要はない」とか「数字を持っていないやつが、数字稼ぎのために噛み付いてきているだけだ」とか、**批判の中身とはまったく関係のないことで反論したり、論点をずらしたりしがち**です。

批判をしてきたフォロワーに対して、KAZUYAさんはこうも言っています。

「(略) 今後も批判すべき点はお願いします。一番良くないのは、批判自体が許されない『空気』だと僕は考えています」

批判はするべきだということです。批判をすると過剰に攻撃されるから、批判自体をやめるとか、そういった空気にしてはいけません。

例えば、いつもだいたい正しいことを言っているんだけど、あるとき間違ったことを言ってしまった人がいるとします。別の誰かが、その間違いを「間違っていますよ」と批判する。すると、その批判をした人物を、批判された人とその周りにいる人が一斉に非難するようなことが起こりがちです。

こうなってしまうと、**間違った部分を修正するせっかくの機会を失ってしまいます。**全体的には正しいことを言っていて、周囲に良い影響を与えていたのに、大変もったいないことです。

さらに「批判すると攻撃される」という空気ができ上がってしまい、「批判をやめておこう」という結論になりがちです。それは健全ではありません。

ですから、私も色々な批判をされますが、まずはその批判の中身をできるだけ見るようにしています。それが**的を射た批判で自分が間違っていたと思えば、素直に直そうと思っていますし、そういう批判こそ大事にしていくべき**だと考えています。やはり、自分は自分の視点でしか物事を見られないのです。

その意味でYouTubeやTwitterはインタラクティブなメディアであり、そのなかにある中身ある批判は、間違った部分を正してくれる側面を持っています。

批判を封じない空気を作る

しかしその一方で、**ＳＮＳをはじめとするインタラクティブなメディアは、批判を封じる空気を生み出すことと隣り合わせ**です。

例えば、YouTubeに私のことを批判している動画が上がっているとします。その動画に私のフォロワーたちが低評価をつけまくるとか、「えらてんは本当はこうなんだよ」とか、コメントを入れる。それは気持ちとしてはありがたいのですが、「もうこんなこと言うんじゃねーぞ」とか「お前は何もわかってない！」みたいな強い口調で押し寄せると、批判した人は怖いから「もうえらてんの批判はしないでおこう」と思うわけです。私の批判をすると、わけのわからない信者みたいなのがいっぱいくると思われることは、私としても本意ではないし、間違っていることを正す大変貴重な機会を失ってしまいます。

なので、私に対しては、いくらでも批判してくれてOKです。もちろん批判と罵詈雑言に関しては分けて考えますが、「えらてんのこういうところが良くないよ」というところがしっかりと整理された反論には真摯に向き合っていきますし、「批判しても良い」という空気を保つことが健全です。

なかには、思想や見解の違いからの批判や反論がくることもあります。これに対しては至ってシンプルで、**たとえ結論が違っていても、そこに到達するプロセスに筋が通っていれば問題はありません。**

さきほどのＫＡＺＵＹＡさんは政治関連のことを発信するユーチューバーで、厳密に見ていけば、私の政治観や思想とは違いがあると思います。でも、「批判は必要だ」と思っている方は人間的に信頼できます。個別の理想像や政治的な考え方が違っても、対話をしながら落としどころを探っていけます。

とくに**政治的な話題や物議を醸すような複雑な問題を扱うときは「黒か白か」「敵か見方か」のような、単純な世界観になってしまわないよう気をつける必要があります。**複雑な物事は単純化してはいけないのです。「批判されたから敵である」といった二元論にならないよう、お互いにおかしくなりそうだったら批判し合える余地を残しておかなければなりません。

批判を封じることは、人間や社会の成熟を妨げてしまいます。

表舞台に立つ人は批判をされる

私がYouTubeの配信をしはじめた頃は、ご隠居がなんか好き勝手しゃべっているというスタンスで、基本的に批判は受け入れないという立場でした。ただ時間が経ち、関わる人が増えてきて、私の周りが社会になってきた。社会になってしまったからには、批判されても致し方ないと考えています。

いまでも**まったく的を射ていない批判や誹謗中傷は当然受け入れませんし、応答責任があると思ったものしか応答しないので、その意味では根底はあまり変わっていない**かもしれません。しかし、少なくとも、適切な批判には聞く耳を持ち、正したほうが良いなと思えば正すようにしています。

とはいえ、繰り返しになりますが、批判は無理に受け入れる必要はありませんし、受け入れさせようとしてはいけません。

とくに精神状態が悪いと、的を射た批判でさえもうまく受け入れることができなくなります。そしてYouTubeやTwitterをやっていると、嫌でも批判的なコメントが目に入ってきてしまいます。

「行き過ぎた批判に目を通すと、身体が固くなる」という内田樹先生の言葉があります。批判こそが改善のはじまりというのはその通りですが、身体が固くなった時は、批判を聞ける状態にするために一時的に批判を聞かないことも、批判される側にとって重要な態度です。

批判の無効化は詐欺師の手口

「はじめに」にも書きましたが、**いまの時代「批判を無効化する」ことで、自分の利益を獲得しようとする人がたくさんいます。**偽の論文を通そうとする人とか、それこそ詐欺をしようとする人は「批判なんて無視しろ」と言って、批判が無意味な世界を作り出したほうが得をします。

なぜなら、**批判的視点を持ち合わせず、無条件に情報を受け入れてしまう人が多いほうが、自分の利益を確保できるから**です。

明らかにおかしい言説に乗っかって、自分の利益を達成しようとする人は、現実に存在します。ここは話が複雑になるのですが、そういう人たちにだまされないようにしましょう、というのがこの本を通して伝えたいことです。

とにかく私たちは、誰かの発する言葉の内容が妥当かどうかを逐一判断していくことが必要です。情報があふれているからこそ、そのように判断できる能力が求められています。**間違っていることや規範に反することに対して的確な批判を加えずに放置すると、自分に対しても世界に対しても邪（よこしま）なことが起こる。**この情報にあふれる世界で、それが起こることを防ぎ、真っ当に生きていくために必要な力が「**批判力**」なのです。

第2章

熱狂を疑え

熱狂と危険はいつも隣り合わせ

「熱狂」という言葉は、エネルギーに満ちあふれ、停滞する状況を打開するようなポジティブな文脈で使われることが多いように思います。

簡単に言えば、熱狂は**「一つのことに向かって猪突猛進する状態」**です。

熱狂を測る基準としては、**「自分が奉じているものを否定されると怒ってしまう状態」**が挙げられます。

例えば自分が尊敬している人に対しても批判的な意見というのは当然あるわけです。しかし、それを見た時に「こんなこと言いやがって！」と頭から否定するのは、通常の状態ではありません。

個人レベルの話であれば、その熱狂がたとえ悪い方向に向かったとしても、まだそこまでの危険性はありません。怖いのは、これが集団になった時です。

確かに何かを変えたり、生み出したりするときに「この行動や発明が世の中を良い方向に変えるはずだ」など、それを信じて疑いなく突き進むことは、時には必要であるし、良い悪いは別にして、そういった人々のエネルギーがここまでの歴史を作ってきたとも言えます。

しかしここで考えたいのは、**熱狂と危険は常に隣り合わせである**ということです。史上最悪の独裁者とされるヒトラーは紛れもなく、この熱狂が生み出したと言えますし、太平洋戦争に向かう日本にしても、この熱狂に取り憑かれてしまっていたことは歴史が証明しています。

スペインの哲学者オルテガ・イ・ガセットは、その著書『大衆の反逆』（筑摩書房、訳・神吉敬三）で、第一次大戦後のヨーロッパ社会を批評しています。
オルテガは、知性ある人間は、何事に対しても常に批判的な視点を持っていると言います。

ものごとに驚き、不審を抱くことが理解への第一歩である。それは知的な人間に特有なスポーツであり、贅沢である。

また、それの対極にいる者のことを「大衆」と呼び、この「大衆」が19世紀ヨーロッパ社会において権力を握り、時代を動かしていることに警鐘を鳴らしています。彼はその大衆を次のように表します。

大衆とは、善い意味でも悪い意味でも、自分自身に特殊な価値を認めようとはせず、自分は「すべての人」と同じであると感じ、そのことに苦

痛を覚えるどころか、他の人々と同一であると感ずることに喜びを見出
していするべての人のことである。

自分が全能だと思う人たちは、**「自分がわかっているこれをなぜ他の人はわからないんだ」**と言って、他者を排除しようとしたり、その思想を押し付けようとしたりします。この考えは危険な思想につながっていく可能性があります し、**同じ考えの人や共感できる人たちばかりをフォローするＳＮＳなどは、こういった一方的な考えを膨張させやすい側面があります。**

上級国民が起こした交通事故

記憶に新しい身近な例で見てみましょう。

２０１９年、池袋で高齢者が自動車の運転を誤り、横断歩道を渡っていた親子2名の命が奪われるという悲しい事故がありました。大きなニュースになったので、知っている人も多いと思いますが、加害者であるその高齢者は、高学歴のキャリアで上場企業の役職を歴任した経歴を持つ人物でした。状況証拠が揃っているのになかなか逮捕されない状況に、「上級国民だから特別扱いされている！」という声がネットを中心に高まり、この人物の厳罰を求めて39万人もの署名が集まりました。

しかし、交通事故は毎日起きていて、いまも多くの命が奪われています。そのなかでなぜあの事件だけがクローズアップされるのか？　さまざまな要因が考えられますが**「上級国民だから逮捕されない」という臆測やこの加害者に対する怒りの感情が、39万人の署名という、ある種大衆の熱狂とも言える状況につながった**ことは間違いありません。

そもそも逮捕には「被疑者の逃亡や証拠隠滅を防止すること」という目的があり、これらの恐れがない場合は逮捕する必要がありません。加えて、逮捕してしまうと、23日以内に罪名を確定し証拠を用意するなど、さまざまな制約が生じます。

確かに、加害者のその後の発言などを聞いていると「何言ってんだコイツは」と思うところはあります。しかし**「ルールを無視して感情だけで突き進む」ことは、次の新たな悲劇を生み出します。**だからこそ、私はこの熱狂をあえて自身のYouTubeチャンネルで批判し、水を差しました。みんなが言っていることは、あえて自分が言わなくても良いことであり、**熱狂した大衆に同化してしまうことは、却って自分の人間性を埋没させる**ことになります。私は常に熱狂に与さないということを考えているし、そういう発信をしていきたいと思っています。

ファクトフルネス

スウェーデンの医師、ハンス・ロスリングさんが書いた『ファクトフルネス——10の思い込みを乗り越え、データを基に世界を正しく見る習慣』（日経BP、訳・上杉周作、関美和）という本があります。サブタイトルにあるように、データつまり「ファクト（事実）」から、正しい世界や社会の在り方が見えてくるよ、ということを示した本で、世界中でベストセラーになりました。

この本のなかで「世界の人口のうち、極度の貧困にある人の割合は、過去20年でどう変わったでしょう？」という質問があります。選択肢は「Ａ・約２倍になった　Ｂ・あまり変わっていない　Ｃ・半分になった」の３択です。すると、正解はＣなのに、ほとんどの人がこの問題に正解できませんでした。正解率は７％だったそうです。

事実を知らないばかりか、多くの人はなんとなく**「20年前よりも悪くなっている」というイメージを持っていて、「事実は違うんですよ」と改めて言われてもなんとなく信じられない**、といった特性を持っていることがわかります。

いま、**世界中でこのような事実・ファクトが見過ごされがち**です。インターネットの発達で情報は世界を飛び交っており、そのなかには間違いが含まれている場合もあるし、思い込みも多い。そういった事実に考えを及ぼさずに物事を判断していくことはとても危険なことです。

過熱した報道が事実を見えなくする

このように、**事実が本当は違うのに、思い込みで何かを決断してしまうことには、大きなリスク**があります。この事実誤認の過程で、「熱狂」はつきものであり、この池袋の事故にはそのような危うさがありました。

日を追うごとに報道が過熱し、あたかも高齢者の事故が増えているような印象が世間に植え付けられ、「高齢者から免許を取り上げろ！」という議論

■図１：高齢者の自動車事故に関するアンケート

が活発になっていきました。

議論が正確な情報のもとになされ、「○歳以上は免許を所持できない」という結論が出ることは構わないのですが、はたして高齢者の事故は本当に増えているのでしょうか？

まず私は、フォロワーにアンケート（図１）を取ってみました。

すると、**８割以上の人が高齢者の事故が増えていると思う**と回答しました。

実際に警察庁発表のデータを見てみると、日本における交通事故の件数は年々減少しており、死亡事故数も減っています。

そのなかで、**高齢者の死亡事故件数はほぼ横ばい**です。むしろ、平成26年の471件をピークに、最新の令和元年は401件と最も少ないことが見て取れます（図2）。

その一方で死亡事故全体における高齢者の割合は増えているというデータがあります（図3）。実際、超高齢化社会によって運転者のなかに占める高齢者の割合も増えていることから、必然の結果とも言えます。

何が言いたいかというと、高齢者になると身体能力が衰えて視力や聴力が低下してしまい、運転に向かなくなっていくということは事実としてありますが、「高齢者の事故が増えているから免許を取り上げろ」というのは、そ

■図２：75 歳以上・80 歳以上 高齢運転者による
死亡事故件数の推移

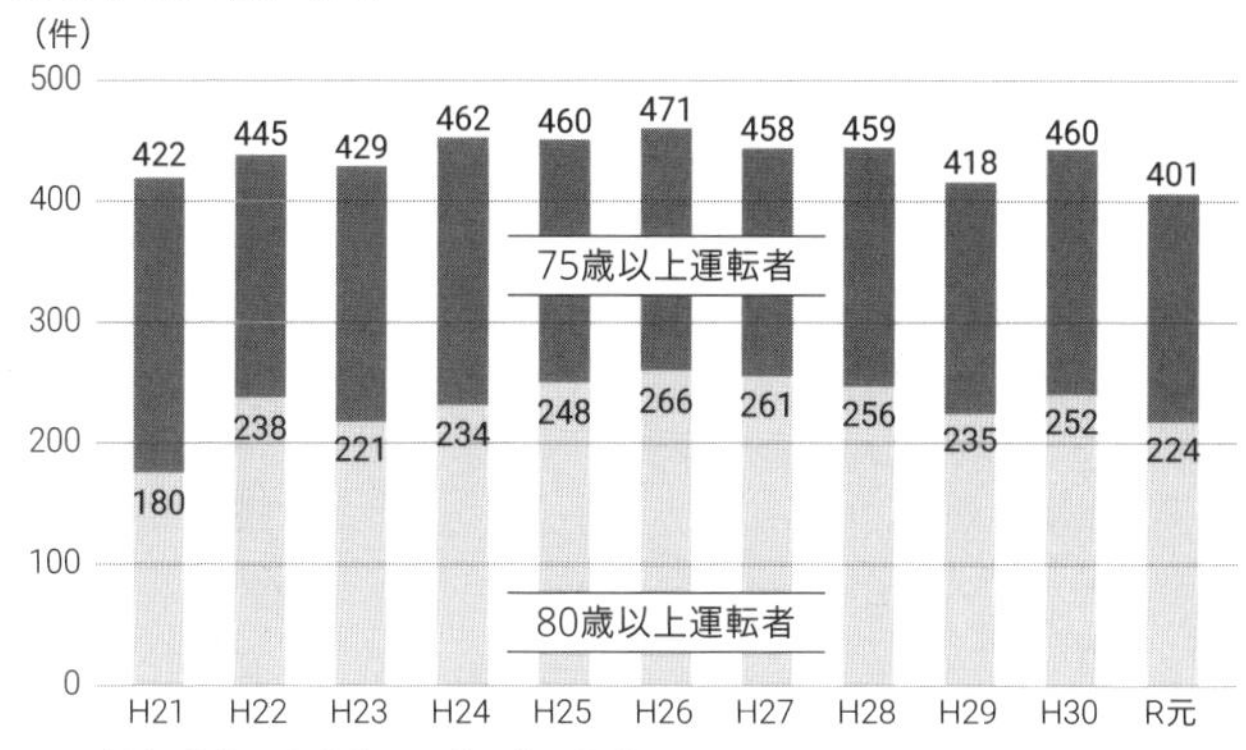

（注）●第１当事者が原付以上の件数である。

■図３：運転者（原付以上・第１当事者）による
年齢層別 免許人口 10 万人当たり死亡事故件数の推移

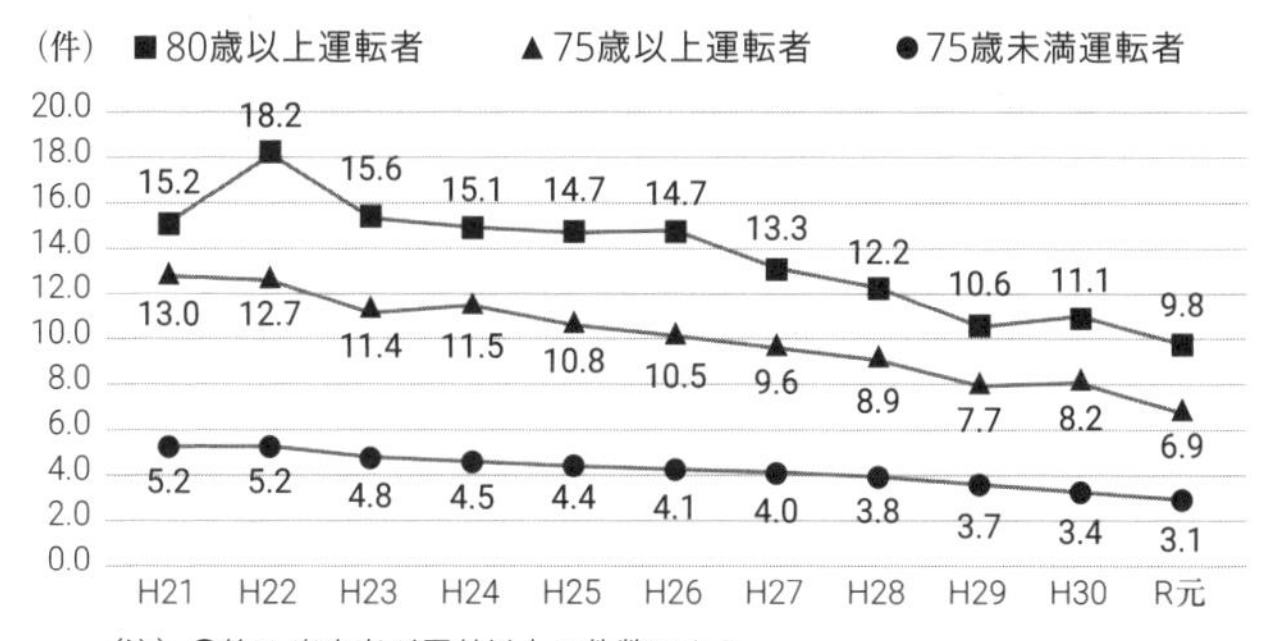

（注）●第１当事者が原付以上の件数である。
●算出に用いた免許人口は、各年 12 月末の値である。

図２・３出典：警察庁交通局

もそも**判断の根拠となっている情報が正しくない**ということです。

多角的な視点を持つ

仮に今回の事件をきっかけに「○歳以上の人からは免許を取り上げます」という結論になったとしましょう。すると、今度はその先のさまざまな問題点が浮き彫りになります。

私の周りにも高齢者がいます。ある人は、車の運転は身体にかかる負荷が少ないからできるのですが、歩いて駅まで行くなどの身体に負担がかかる行動はものすごく大変で、生活に支障が出てしまうといいます。

また、地方の車社会には、病院に車で通わざるを得ない人たちがいます。

もしかしたら、車が運転できないことで、病院に行けずに命を落としてしまう可能性もあるでしょう。

このような場所で高齢者から車の運転を取り上げるとなれば、こういった人たちのために安いコミュニティバスを走らせることであったり、あるいはタクシーチケットを付与するなど、そのような代替策が求められます。加えて、活動の範囲が狭まることは健康にも精神にも良くありません。

亡くなられた方やご遺族は本当に気の毒であり、このような悲しい事故が二度と起こらないようにと願う一方で、今回のような繁華街で起きた一つの事故に**過度な注目が集まると、誤った情報のもとに誤った政策がとられてしまう可能性があります。**亡くなった人を無視するとか軽視するとか、そういうことでは断じてなくて、命とか、車がなくなって困る人とか、そのことによって亡くなってしまう人もいるかもしれないといったことを想像した時に、みんなが今回の事件にワーとなって、「○歳以上は運転するな！」と時の感情で結論を出してしまうことを危惧しています。それを防ぐためにも、**多角的な視点**をもってほしいと思います。

感情に任せて乱暴に結論を導き出すことは、本当の解決とは言えません。

「お気持ち」に火がつくと大切な情報を見落とす

このような事故と似た例で言えば、医療事故などがあります。

例えば医療現場で認められたワクチンの接種で、1件の事故が起きたとします。その事故はあってはならないことですが、その事故の原因はよくわからないにもかかわらず、いまの社会は「注射のせいで亡くなった」「ワクチンは良くないものだ」と結論しがちです。それが熱を帯びて、そのワクチンは良くないとか、薬は良くないとか、医者は既得権益だ……みたいな話につながっていく。お気持ちがどんどん上乗せされていくわけです。

すると、専門家ではない**一般の「お気持ち意見」があたかも正論のように扱われ、専門家の意見が無視される**ようになります。

生後1年未満に亡くなった赤ちゃんの人数を全体の出生数で割って算出する乳児死亡率（図４）というデータがあります。私には2人の子どもがおりますが、その子どもが生まれる時にこの乳児死亡率の統計データを調べると、驚いたことに、１９５０年の乳児死亡率は60・1。つまり、１０００人中60人の赤ちゃんが生まれてから1年未満に亡くなっていました。これが、30年前の１９９０年で４・６、最新の２０１８年で１・９となっています。ユニセフの

■図4：乳児死亡率　出典：厚生労働省「平成30年（2018）の人口動態統計の概況

乳児死亡率＝
年間乳児死亡数
（生後1年未満の死亡数）
／年間出生数
×1000

年次	乳児死亡率（人口千対）
1950年	60.1
1960年	30.7
1970年	13.1
1980年	7.5
1990年	4.6
2000年	3.2
2010年	2.3
2018年	1.9

このデータを見るだけでも、日本の医療制度の高さがうかがえる

発表によると、2016年の世界の乳児死亡率の平均は31であり、先進国のなかでも日本はこの乳児死亡率が世界最低レベルの国だと言われています。

これは医療技術の進歩以外のなにものでもありません。医療に携わる専門家の方々による医学研究の成果です。素人が疑って「なんとなく違うと思う」といえる次元の話ではありません。

こういった**高度な専門知識を要する判断は、絶対に「お気持ち」で判断してはいけません。**仮にこのワクチンの

例で言えば、**ワクチンを打たないことによって打って亡くなるということは回避できますが、本人の命にどう影響を与えたかは判断ができません。**

センセーショナルな出来事が起こると、「お気持ち」に火がついて、本当のことが見えなくなります。

繰り返しになりますが、熱狂を疑う目を持ち、できるだけ正しい情報に基づいた選択をしていかなければなりません。

「お気持ち」が肥大化したＮＨＫから国民を守る党

ＮＨＫから国民を守る党（以下、Ｎ国）は、大衆のお気持ちに火をつけ、肥大化した集団です。そのことについては『「NHKから国民を守る党」の研究』（KKベストセラーズ）に詳しく書きましたが、本書ではなぜ私がN国批判を執拗に繰り返したのかを解説します。

（結論から言ってしまえば、私の批判や突撃の効果がどこまであったかはわかりませんが、N国がこれから先、例えばオウム真理教のような犯罪者集団になることはないと思っています）

私がN国批判を開始したのは、2019年の統一地方選挙の少し前からです。その時YouTubeにN国を批判する動画を出すと、ものすごい勢いで低評価がつき、コメント欄が荒れに荒れ、動画を消さざるを得ない状態になりました。まさに、**自分たちが信じているものを否定されると怒ってしまう人たち、つまりN国に熱狂している人たちの群れ**が見えました。これを見て「この政党はマズいな」と思い、しばらく観察を続けました。

批判をするにしても、その対象がどんな性質のものであるかはよく見極め

る必要があります。オウム真理教のように、実害を加えてくる可能性もありますから、十分に気をつけなければなりません。

そうして観察を続けながらも、批判の動画はちょこちょこ出していました。ただ、持って回った言い方というか、「どれくらいだったら大丈夫か」「伝わるのか伝わらないのか」の境界線を見極めながら、慎重に言葉を選びました。それらの動画は、膨大な数の低評価がついたり、コメント欄が荒れたりするようなことはありませんでした。

このことから私は、N国の支持者は、「NHKを壊すか壊さない」や「既得権益側か否か」のような〝**単純な思考回路**〟を持った人間の集まりだと結論づけました。つまり、数は多いが、読解力に乏しく頭が回らないから怖くない、ということです。

麻原彰晃もテレビのバラエティ番組に出ていた

私が批判を開始した当時はまだ、N国を批判する勢力は少数でした。それこそ、2019年の参院選前には、支持する意見のほうが多く、その結果としてN国党は参議院の議席を獲得し、国政政党になっています。

私はユーチューバーですが、少なくともユーチューバーのなかにこの党を批判する人はほとんどおらず、むしろ「N国最高!」とか「N国超面白い」などの意見が大多数だったのです。別に自分をほめるわけではありませんが、そういった状況で批判することには、それなりの覚悟と勇気が必要です。

この時も「批判ばっかりしやがって、お前は何をしているんだ」とか「じゃあお前はNHKがこのままでいいと思っているのか」という声が数多く届きました。

まずこれに対して言いたいのは、私は**批判が集まるところに乗っかって批判しているわけではなく、人々が「熱狂」しているものをまずは疑って見て、それが「間違っている」と判断した上で批判している**ということです。

そして繰り返しですが、それはある種の「熱狂」が社会にとってとてつもなく危険なものになる可能性があるし、仮にそこまでの危険性はなくても、熱狂している人自身やその周囲の人が、その熱狂のために傷つく可能性があることを知っているからです。

現時点では、N国がオウム真理教のようなテロ組織になることはないと考えていますが、現実として、1990年代に世間を騒がせた**オウム真理教の麻原彰晃にしても、事件を起こす前はテレビメディアが面白がって、バラエ**

ティ番組に出演させていた時期があります。オウムとN国が似ているということではなく、当時の麻原と立花氏の周囲の扱い方が似ていると思っていましたし、危ういものを感じていました。そういう危険な人物が出てきた時というのは、担ぎ上げるような人たちもたくさん現れます。だからこそ、批判する人間もいなくてはなりません。

真っ当なことを言っていた時代の立花孝志

本格的にN国批判を開始するにあたり、私はまず、**N国の党首である立花孝志氏の過去の動画、さらには2ちゃんねるへの書き込みを、過去8年に遡って調べました。**立花氏はNHKを退職した翌年の2006年から、2ちゃんねるに書き込みを開始しています。その時は、公共放送の問題点などを理知的に記しています。

また、他のユーザーからの**反対意見に対しても、非常に筋道立てて返しています。**

多くの人は立花氏のことを、反対意見や離反した党員に対して、スラップ訴訟や暴力的な反対運動をする人物と認識していると思います。しかし、２００６年頃の立花氏は、反対意見に対してちゃんと対話する姿勢が見られるのです。そして、すごくわかりやすく、ＮＨＫの問題点と自分なりの解決策を提示したりもしています。

当時の立花氏は、ＮＨＫの集金人について以下のように語っています。

「私は営業職員の雇用の問題を考えました。銀行口座引き落としをやめて各家庭を訪問し、視聴者に番組作りに参加してもらう、いわば視聴者と制作現場の架け橋としてやりがいのある仕事をしていただけたらいいなと思っています」

つまり、集金人の人たちの生活などもちゃんと考えているんです。手荒なことをせず、理知的に話し合える姿が初期の立花氏にはある。それが**ある時から、「ＮＨＫ職員を殺す」とか「集金人を逮捕する」とか、だんだん過激になっていく**のです。

――イエスマンは良い時にしかついてこない

立花氏は統合失調症と双極性障害を公表していますが、私も同じ双極性障害の当事者です。この病気の症状として、世界が敵に見え攻撃的になってしまうことがあります。私はだからこそ、立花氏のことを他人事には思えませんでした。

このように、有名になる前の立花氏は、正義感や問題意識を持った非常にまじめな人でした。立花氏は「証拠に基づかないことを主張すべきではない」とも言っているのですが、それが途中から「ＮＨＫには暴力団がいる」とか、何の証拠もないことを言い出し、妄想が激しくなります。最初はウソをついているのかなと思いましたが、立花氏の頭のなかでは、本当にＮＨＫに暴力団がいることになってしまっているし、電通に支配されていることになってしまっている。

それが参議院議員になってユーチューバーとしても成功し、社会的にもてはやされていくなかで、彼は病気が寛解したと思い込んでしまった。しかし、自分に対する攻撃に過度に反応したり、事実でないことを事実と思い込んだり、それはやはり正常ではありません。「ＮＨＫを変えたい」という思いを持ち続けていく中で、それが現実化されないという思いの中で、戦っていくなかで、そのおかしさが治ったというよりも、さらにおかしくなって肥大化していってしまった。

その最大の要因は、**身近に彼の言うことを真剣に聞いてくれる人や批判してくれる人、本気で心配してくれる人がいなかったから**だと思います。

これはすごく危険な状態で、社会的にまずいものがまずいまま認められてしまうと、本人のためにも良くありません。**私はそうなりかけたことがあるからわかる**のです。

立花氏の過去の書き込みなどを見ていると、ＮＨＫの職員であることを誇りに思っていただろうし、新しい公共放送で働きたい、ＮＨＫをとにかく良い方向に改革したいと本気で思っていたと思うのです。本気であったからこそ、それが果たされない状況のなかで、自分の人生の基盤のようなものが壊されたという思いに変わり、それが「ＮＨＫをぶっ壊す」というワンイシューに集約されてしまったのです。

ＮＨＫに壊された立花氏の人生と同じように、立花氏が壊している人生があるのです。壊された人生を、それを変えたいというその過程で、他人の人生を傷つけ壊していくことは、憎しみの連鎖しか生みません。

反対する言説が攻撃されて潰されると、怖くて反対できなくなってしまいます。反対する人を排除したり、離れていく人を脅したりすると、批判する人はいなくなり、イエスマンしか残りません。こういったイエスマンは、良い時にはついてきますが、悪い状況では離れます。

たとえ自分がいま成功していても、その成功は永遠には続きません。それはおかしいよと、批判してくれる人間が身近にいてくれないと、その組織は間違ったまま大きくなってしまうし、破滅の道をたどることになるのです。

――人は簡単に狂ってしまう
「相模原障害者施設殺傷事件」植松聖

立花氏のNHKに対する問題意識という熱狂は、似たような不満を持つ人々を引き寄せ、国政政党という大きな組織にまでなりました。組織が大きくなれば危険性も増す一方、目立つので多くの批判者が現れ、抑止できるという一面もあります。

しかし、**個人的熱狂が間違った方向に育ってしまう**こともあります。相模原の障害者施設で起きた19人殺害事件の犯人・植松聖も、個人の間違った熱狂に狂った一人だと言えます。作家の雨宮処凛さんが植松被告と面会した時の様子を書いた記事（BuzzFeed『「雨宮さんに聞きたいんですけど、処女じゃないですよね？」植松被告は面会室で唐突に言った』２０２０年1月31日）にこんなことが書いてありました。

「あなたは間違っている」などと言われると、植松被告がスッと感情に蓋をするのがわかった。先回りして、批判されそうな発言をする際に前もってやっているとわかる時もあった。

前提として、**個人が狂ってしまうことはよくある**ことです。人間というのはひょんなことで簡単に狂ってしまう。私の周りにも、唐突にN国の話をしはじめる人とか、急に極右に振れてしまう人とか、極左の人でも悪いタイプの宗教に染まってしまう人たちとか、個人が狂ってしまうことはそこまで珍しいことではありません。そして**狂ってしまった人たちは、他人の意見や批判に聞く耳を持たなくなります。**

健全なコミュニティという抑止力

そのうえで、個人が狂ってしまった時に、どのようにして暴力的な行動に結びつけないようにするかという視点が必要になってきます。

一つは間違っていることに「それはおかしいよ」と冷や水をぶっかけるという正攻法。ただ、これが一定の効果を発揮することもありますが、熱狂してしまっている人には響かないことも多い。あとはやはり**「コミュニティ」というものが必要になってくる**のかなと思います。つまり、その人のことを周りで見ている人が必要で、本人も自分が**「このコミュニティに属しているんだ」という実感を持っていれば、「周りに迷惑はかけられないな」という感覚が芽生えてくる。**人間の脳みそは強くできていないし、自分で律するにも限界があります。

東海道新幹線の無差別殺傷事件の犯人である小島一朗にしても、相模原の植松聖にしても、そういった抑止力となるコミュニティというものがなかったように思います。とくに小島の場合は、「家族」というコミュニティがなくなって、「もういいや」と最後の枷（かせ）が取れたといった趣旨のことを手記に書いていました。

経済的な不安も大きい現代は、**「家族なんてコストでしかない。だから要らない、自由になろう」**という言説が、とくに若い人の間では流行っているような印象がありますが、私はむしろ逆で、**家族とかそういう常識の縛りというのはあったほうが良い**と思っています。**そういう縛りがないと、人間は簡単に逸脱してしまう**のです。

よくあるのは、奥さんや旦那さんに先立たれてしまった高齢者が、情報の取捨選択のなかで、常識的な思考からどんどん乖離(かいり)していってしまうという例です。ただ、高齢者が危険な思考を持ったとしても、何か行動に移せるほどの実行能力がないので、そこまで危険ではありません。

ですから若い人が、ホリエモンがよく言うような「家族はコスト」といった考えをステレオタイプに受け入れてしまうと非常にまずいと思っています。

私も政党を立ち上げて、人に選挙に出ないかと打診していくなかで、反応として多く聞くのは「家族に反対されてできない」という意見です。でもそれはすごく健全なことだなと思います。急に政治なんて突拍子もないことをする時に、**「ちょっとやめなよ」と言って、一旦止めてくれる人たちが周りにいるのはすごく大事**なことです。私も家族がいなければ、今より自由に動けるとは思いますが、それは必ずしも良いことではないというか、制限がからないぶん、悪いことのほうが多いと思っています。

例えば、家族がいて子供が熱を出したから今日は動けないとか、そういう制約があるからこそ、人間の思考というのは暴走しないとも言えるわけです。

人間は簡単に狂ってしまう。それを前提に、狂ってしまった時にそれを止める抑止力にもなる健全なコミュニティが大事なのです。

自分にしかできない批判をする

組織や個人の熱狂について色々と書いてきましたが、正直、何が悪い熱狂につながっていくのかははっきりとはわかりません。数が多いと危険な熱狂になるかというと、そうとも言えません。

しかし、危険になりそうな芽は摘んでいかなければならないし、そのなかで私は、常に私にしかできないことをやろうとしています。何かの流れに乗って批判をしたり、新たに批判するところがないのに批判をすることには何の意味もありません。これは批判力というより、私の仕事論ですが、**「自分にしかできないこと」**をやろうということは常々思っています。

例えば、立花氏に対する批判や突撃にしても、彼がどういう思考回路で動いているかを深く理解した上で動ける人間は、私をおいて他にいないだろうという考えがあって行動に移しています。

DaiGoさんへの批判もそうです。DaiGoさんはYouTubeで非常に人気があり、私もYouTube上での数字がある程度はある。そうであるならば、紙で批判してもその効力はないし、当時YouTube上で言えるのが私だけだという判断がありました。

オンラインサロンを運営していた正田圭さんは、Twitter上のビジネスマンとして有名でしたが、そのプロフィール欄の経歴に疑うべき部分があり、その部分を批判しました。彼の場合は、Twitter上のビジネスマンとして名を馳（は）せている人であって、かつその怪しい部分に気づき、突撃できる人が私しかいないだろうということで批判に踏み切ったという経緯があります。

２０１９年はとくに批判をし続けていたので、お笑い芸人の中田敦彦さんが、自身の YouTube 動画で、間違った情報を発信してしまった時に、「えらてんはどう動く?」みたいなこともすごく聞かれました。しかし、中田さんに関して言えば、別に私が批判をしなくても、色々な人がすでに彼のその動画を批判していました。また彼の場合は、誤った知識を提供していることもあるけれども、ウソをついているわけではありません。中田さんの場合は、本の出典も明らかにしており、たまにまとめ方が間違っているからといって、私がそこから批判する気にはなれませんでした。

結局、中田敦彦さんの番組の視聴者は、彼のチャンネルがなければ、そのテーマに一切関心を持たなかったような人たちです。そういった人たちにちょっとした雑学を提供したわけですから、特に問題も感じませんでした。

本当に有効な批判をしようとするのであれば、**自分がどういう理屈で批判をするのか、すでに起こっている批判に対して、どういう理屈で乗るのか乗**

らないのか、ハッキリさせることが批判者に求められる態度です。

最後に再びオルテガの『大衆の反逆』から文章を引用して、この章を終わりにしたいと思います。

第一に大衆人は、生は容易であり、あり余るほど豊かであり、悲劇的な限界をもっていないという感じを抱いていることであり、またそれゆえに各大衆人は、自分の中に支配と勝利の実感があることを見出すのである。そして第二にこの支配と勝利の実感が、彼にあるがままの自分を肯定させ、自分の道徳的、知的資産は立派で完璧であるというふうに考えさせるのである。この自己満足の結果、彼は、外部からのいっさいの示唆に対して自己を閉ざしてしまい、他人の言葉に耳を貸さず、自分の見解になんら疑問を抱こうとせず、また自分以外の人の存在を考慮に入れようとはしなくなるのである。（中略）したがって第三に、彼はあらゆることに介入し、自分の凡俗な意見を、なんの配慮も内省も手続きも遠慮もなしに、つまり「直接行動」の方法に従って強行しようとするであろう。

第3章

批判と行動

グレートリセットと既得権益層

私のようにさまざまな批判を展開していると「お前は文句ばかり言ってないで行動しろ！」と言われます。例えば、N国党の批判をすると「じゃあお前はNHKがこのままでいいのか？」と詰め寄られる。それに対する答えとしては、**「確かにNHKの制度はこのままで良いとは思っていない。でも解決策は壊すか壊さないかの2択ではない」**ということになります。

旧態依然とした仕組みが崩壊した先に希望を見出すことを表現した**「グレートリセット」**という言葉があります。

NHKやマイナンバー制度、大学入試の改革など、よく「既得権益層」と言われるものに対しては、様々な政治的な不満が存在し、**「既得権益層は悪意を持って私たちに不利益を与えようとしている！」**といった見方をされがちです。

しかし、この考えは非常に**短絡的で解像度が低すぎ**ます。多くの場合、個人に悪意があるかどうかと言われればないことのほうが多いでしょう。もちろん悪意を持って「事態を悪くしてやろう」という人もなかにはいるかもしれませんが、数としては少ないはずです。みなさんの周りを見回しても、何も会社を悪くしようと思っている経営者はいないはずです。全体的には、組織や物事を良い方向にもっていこうとしている。それは既得権益層と呼ばれるものだって同じです。みんな目的は、現状をさらに良くしようとしているわけです。

でも、**あらゆる物事は、関わる人が多くなればなるほど複雑化し、何か変**

化を加えようとすると、あちらを立てればこちらが立たずといったことが起こります。家族、会社、国家。コミュニティの規模が大きくなればなるほど、当然物事は複雑になり、問題を解決するにも一筋縄ではいきません。だから、一度すべてぶっ壊して新しく作り直す「グレートリセット」という発想に陥ってしまうのです。

大きく変えようとすると大抵失敗する

グレートリセットではありませんが、複雑な問題を一気に変えようとして失敗したのが、2019年に政府がやろうとした英語の民間試験の改革です。

日本の英語教育は本当に多くの問題を抱えていて、みなが不満を持っている分野です。「英語教育をどうにかしろ！」ということは誰しもが思っているし、どうにかしなければいけない問題ですが、実施と期限ありきで、その短期間で一気に変えようとして失敗しました。とにかく英語の表現力を身につけないと世界で戦えない、そのためには、そのための入試をしなければならないという話が実施ありきでどんどん進んでいき、現場の実務レベルでも齟齬（そご）が生じているのにもかかわらず、誰にも止められませんでした。

我々にとって不便なシステムは、ほとんどがこのような決定プロセスをたどっていることが多いです。**「ちょっとおかしいけどまぁいいか！」**で進めてしまった結果、残念なことになってしまう。みんなそんなにバカじゃないのだけど、**個別の微妙なズレの積み重ねが、結果的に巨大なズレになってしまう**のです。

この英語民間試験の騒動は、大混乱をもたらした後、結局撤回されました。税金と全国の高校生の時間を無駄にしたわけです。とくに高校生の時間を無駄にするというのは、将来的な日本の学問の蓄積が失われていくということを意味します。そういう悲惨な結果を生むわけです。

革命より改革を

オーストリアの経済学者フリードリヒ・ハイエクは、『政治学論集』（春秋社、監訳・山中優、翻訳・田総恵子）の中で、「社会的とは何か？」について言及しています。社会というと、「社会的に正しい」とか「社会一般」とか「社会保障」などということをよく聞くと思いますが、そもそも「社会」とは何なのか？

それについてハイエクは、**「社会というのは勝手にできるものであって、社**

会正義とかを人間が作ろうということ自体が語義矛盾である」といった意味のことを言っています。さらに**「秩序とは、外から社会に押しつけられる圧力ではなく、内部から生じる均衡である」**というオルテガの言葉を引用しています。

ここからわかるのは、つまり、**人間が社会を作れるという発想そのものがそもそも間違い**なんだということです。**人間は社会や制度を上手に作ることができない**のです。

だから、何かを変えるにしても**革命より改革のほうが望ましい**のです。すべてを一旦無しにしてゼロから作り出そうとするのが革命です。これは体力も使うし、血も流れます。そもそもうまく制度を作れないのだから、無駄な血は流さないように少しずつ軌道修正しながら、良い方向に持っていくしかありません。あるいは、悪い方向にいくのを少しでも止める努力が必要です。

それの繰り返しでしか、社会や物事を改善することはできません。

ですから、今ある何か複雑なことを解決するためには、その方法が**できるだけ「革命」にならないように、ギリギリのところでいまある制度を使いながら、少しずつ変えていく「改革」に頼る**ことが大切なのです。

革新的なことや新制度を導入する時は、批判的な視点を常に持ち、慎重に検査しながら進めていく。とくに教育や医療、その他社会福祉など、挙げれば切りがありませんが、私たちの生活や未来に深く関わっていることであればあるほど、慎重な方法が求められます。

何かを変えたいなら手続きを守って少しずつ変えろ

　私は会社員経験がないからよくわかりませんが、会社に属していると会議や書類一つとっても、非効率だなと思うことが多々あると思います。とくに最近の自己啓発書やビジネス書をよく読んでいる人たちは、会議は無駄だからやめましょうとか、この作業が非効率だから廃止しましょうとか、深く考えもせずに発言した経験があるのではないでしょうか。それを言うことが流行っている印象もあります。

　そういう人に言いたいのは、**「手続きを大事にしましょう」**ということです。

どういうことかと言うと、無駄だと思う会議や手続きをやめると言った時に、それを上司に喚（わめ）いたところで意味はありません。先例主義というものがあって、これは変われない企業の悪い考えとして使われることが多いですが、そもそもそこで行われている**会議や手続きは、一見無駄だと思えるものでも**（本当に無駄な場合もあると思いますが）、**色々と失敗しながら、歴史のなかで積み上げられてきた**ものが多いと思います。そういった**先例主義を最大限尊重したうえで、正式な手続きの下、少しずつ変えていく**のが正しいやり方です。

組織であれば、何かこれまでのやり方を変える場合、必ずそのための手続きがあるはずです。変えるための手段やそのための窓口というものがありますよね。「無駄だ！　やめる！」というゼロか100かみたいな乱暴な解決はあまり勧めないというか、**本当に無駄なことを改善しようとするなら、ちゃんと政治をやろうよ**という話です。

自分が喚いたところで変わらないのであれば、はっきり言ってそれも含めてあなたの実力や人望なわけです。そういったこともできないようであれば、それは情けない話ですよね。

権力は絶対に腐敗する

「権力は腐敗する、絶対的な権力は絶対に腐敗する」

これはイギリスの思想家アクトン卿の有名な言葉です。たとえ**どんな人や組織であろうと、支持され、影響力が大きくなれば、腐敗は避けられない**ということです。誰でもどんな組織にも、大きくなればそれだけ守らなければいけないものもできるし、その数も増えていきます。だからこそ、その**持っている力に対して、どれだけ抑制的でいられるか？**　ということが問われます。

たとえグレートリセットのようなことが実現したとしても、何も良い未来を保証してくれませんし、また新たな不満が生まれます。あっちを立てればこっちが立たず、人間社会とはそういうものであるということを多くの人が理解しているはずですが、時に人はそれを忘れてしまうのです。

イスラム法学者の中田考先生は**「アメリカは歴史上もっとも人を殺している史上最悪の国である。アラブへの介入では、民間人も犠牲になっている。しかし、アメリカが持っている力を、他の国が持ったらさらに最悪である」**と言っています。中田先生は自身もイスラム教徒であるイスラム教の専門家ですが、その人でさえイスラム教の国がアメリカと同じ力を持ったら、さらに最悪なことになると言うのです。

アメリカは持っている力に比べれば抑制的に動いていると。誰も完全に清廉潔白になどなれるはずもなく、とくに権力の側につくと、誰しも間違った行動をしてしまう。それが真理です。

人間ですから、おかしなことをしてしまったり、間違えてしまうことは誰にでもあります。一般的に**人間も組織も力を持てばそういう力学が働くということに、少なくとも自覚的であることが重要**です。

――だからこそ「法」がある

どんな人や組織でも、権力は腐敗する。だからこそ、人間は自ら法律というルールを作りました。

池袋の事故を「お気持ち」で裁くことがないように、そして権力者が自分の既得権を守るために間違ったことをしないように、**人間は知性の限りを尽**

くして「法律」を作りました。

感情に任せてグレートリセットを訴える、ファクトを無視して結論を導き出そうとする、そういったことが魔女狩りのように、何の罪もない人を苦しめてきたのです。そういった歴史を繰り返さないために、法律があります。

東京都立大学の教授で憲法学者の木村草太先生は、**法の本質は「普遍的な価値を追求する規範だ」**（現代ビジネス『これは何かの冗談ですか？ 小学校「道徳教育」の驚きの実態』２０１６年1月26日）と言っています。「普遍的な価値とは、どんな人にでも正当性を説明できる価値のことを言う。この世界には、それぞれまったく異なる価値観や思想や意見を持った人々がいる。そうした人々が共存するためには、お互いを尊重し、そんな人に対してもその正当性を説明できるルールが必要になる」と言っているのですが、つまり**「法というのは誰にでも当てはまる規範として存在する」**ということです。法は誰も取り残さない。

実際のレベルでは違うところもあると思いますが、法律は、全員が最低限守りましょうねという規範として存在しています。

「殺人をしてはいけない」とは書かれていない

オーストリアの国際法学者ハンス・ケルゼンは、『法と国家の一般理論』（木鐸社、訳・尾吹善人）のなかで、「法は、もし人が殺人を犯すなら、法秩序によって指定された他の人が、法秩序によって規定された一定の強制措置を殺人者に対して適用すべきであると定めることによって、これを行う」と言っています。

日本の法律にも**「殺人をしてはいけない」という条文はありません。**法律では、**「誰かが殺人をした時に、その人間を捕まえて刑罰を科す」という権利が国家権力に担保されている。**法律は、すべては国家権力を縛るものとして存在しているのです。いくつか刑法の条文を見てみます。

（殺人）
第１９９条　人を殺した者は、死刑又は無期若しくは五年以上の懲役に処する。

（名誉毀損）
第２３０条　公然と事実を摘示し、人の名誉を毀損した者は、その事実の有無にかかわらず、三年以下の懲役若しくは禁錮又は五十万円以下の罰金に処する。

（窃盗）
第２３５条　他人の財物を窃取した者は、窃盗の罪とし、十年以下の懲役又は五十万円以下の罰金に処する。

殺人をしてはいけません、人の名誉を毀損してはいけない、人の物を盗ってはいけないとはどれも書いていないですよね。したことは懲役などに処するということだけが書かれています。

私がなぜここでその話をしたかというと、だから殺人をしていいとか、物を盗んでいいとかいうわけではもちろんありません。**法の下に平等である、つまり法に支配される民というのは、法を破ったり、ルールを破ったりしてしまった時は、コソコソしないといけないんです。**

例えば、信号を無視してしまうとか、悪口を言うとかいろいろありますけれど、それをするとコソコソとしなければいけない。そして、**「コソコソしなければならない」という事実が、法が規範として尊重されていることの証**(あかし)**し**でもあります。

ですから、コソコソしないで法を破るということは、あってはならないし、そこから秩序は崩壊していきます（そもそも法を破ることはあってはなりませんが）。法律を破って「いえい！　破ったぜ！」というと法規範に対する挑戦になってしまう。

日産の元社長のカルロス・ゴーンは、「オレは日本の裁判には従わない」と宣言してレバノンに逃亡しましたが、これは国家の法規範に対する挑戦であり、すごく問題のある行動です。

「法を破っているかも」と思ったらコソコソする

このようにみなが平等に制約を受けるルールとして法律があるのですが、そこから外れるというか、当てはまらない**グレーゾーン**もたくさんあります。やっていいのかダメなのか、わからないこと、正しいか間違いかでは決められない物事が世の中には無数に存在します。そういったものは、できるだけそのままにしておくべきだと言ったのが預言者ムハンマドです。

イスラム教の法の根拠には、ムハンマドの啓示があります。『ムハンマドのことば――ハディース――』（岩波文庫、編訳・小杉泰）には**「ムスリムがムスリムに対して犯す一番大きな罪は、禁じられていないことについて質問をし、そ**

の問いのゆえにそれが人々に対して禁じられることです」とあります。なぜなら、**人々が従う規範というものはなるべく少ないほうが良く**、ムハンマドに良いか悪いかを言わせるということは、ルールを1つ増やして自由を制限してしまうからです。

現代はルールが多すぎます。ルールの分だけ、自由は制限されます。人間の自由というのは、なるべく尊重しなければいけないし、だからこそ、これはちょっとグレーゾーンだなと思うことはコソコソやらなければ、我々の自由というものがどんどん失われていきます。

なので、だからこそ法があるという一方で、法をガチガチに守れというわけではありません。法を尊重するということは、**法を破っているかもしれないと思ったらコソコソすること**であり、それを取り締まらなければいけないというのが、国家権力の責務です。コソコソするということそのものが、現在の権力の認証につながり、社会の秩序が保たれるのです。

「ＮＨＫの受信料は払わなくていい」とか「日本の裁判はクソだから国外に逃亡する」など、**コソコソせずに堂々と法を破るというのは、法規範の軽視**です。それをやっているゴーンさんとかは、国家に挑戦しているわけで、そこまでの気概があるのかどうかということが問われます。つまり「革命」を起こしてまで法規範を変える覚悟があるのかどうかということです。法規範とはそういうものです。

ただし、国家権力がおかしなことをやって人間を拘束したり、著しく人権を無視した行いが見られたりする場合は、法規範を破ってでも人権を守るために闘う必要があります。歴史的にもそういったことは実際にありました。

これはロックな考えですけど、国家権力に抵抗することはあり得ることです。大きな話ですが、人権が著しく脅かされる場合などは、内戦とかも覚悟しなければなりません。

実際に世界を見渡しても、自分たちの人権を守るために国家権力に抵抗するといったことが起きていますよね。だからこそ、なるべくそうならないように、私たちはなるべく法規範を守って、法規範に触れるかもしれないと思ったら、コソコソとやるというのが法を遵守するということです。

権力が移り変わった先に起こること

グレートリセットはうまくいかない、革命よりも改革をするべきだと言っても、熱狂している人々には響きづらいのが現実です。**ファクトが大事だ、事実に基づいて判断しようと言っても、感情に訴えたほうが響くのです。**それを証明するように、現在、世界はどんどんゼロか１００かといった二項対立の考え方が主流になってきてしまっています。

アメリカではトランプ、フィリピンではドゥテルテなど、いわゆるナショナリズムと言われる体制が力を持つようになっています。これらの政権は、**わかりやすい言葉で大衆の感情に訴えて、権力の座につきました。**イギリスのＥＵ離脱にしても、これまで声を上げることができなかった、声を上げても拾い上げられなかった人々の声が、国家に影響を与えるような世界になっています。

ただ、そういった大衆迎合主義（ポピュリズム）が権力を握る一方で、新しい権力が台頭してきているという背景もあります。

２０１３年にアメリカで出版された『第五の権力――グーグルには見えている世界』（ダイヤモンド社、訳・櫻井祐子）という本があります。自身が一級のコンピューター科学者であるグーグルの会長エリック・シュミットと、外交政策と国家安全保障の専門家でもあり、グーグルのシンクタンク「ジグソウ」の創設者ジャレッド・コーエンが、デジタル新時代における世界の未来を描いています。その冒頭には次のように記されています。

２０２５年、世界人口80億人のほとんどが、
オンラインでつながる。
誰もがインターネットへアクセスでき、
誰もが世界中とつながり、自由に発信をし、
革命を起こすパワーさえも手にできる。
一見あたりまえのように思えるが、これはすごいことだ。

これからの時代は、
誰もがオンラインでつながることで、
私たち1人ひとり、80億人全員が
新しい権力、つまり「第五の権力」を
握るかもしれない。

「これからのインターネットの広がりで、権力は移り変わる」ということが書かれているんですね。これはみんな実感としてあると思うのですが、個人もそうだけれど、グーグルとかFacebookとか、国家ではないところが権力を握ってきた。それらのプラットフォームを介して**自由に発信できるすべての個人が新しい権力を手にした。**それを**「第五の権力」**と表現しています。

ただ実感としてあるのは、例えば、私はユーチューバーで、「これからはユーチューバーが政治を動かす」というようなことを言っていますが、ユーチューバーだってグーグルにチャンネルを消されたら終わりです。だから、ユーチューバーたちはチャンネルを消されないように、グーグルの作る規範を守って頑張るわけです。ある意味、グーグルの手のひらの上で踊らされているという現実があります。

これらの現象が良いか悪いかはおいておいて、ここでいう「**第五の権力**」**が台頭してくる世界では、大きな紛争や虐殺は少なくなって、小さな嫌がらせが増える**ということが書いてあります。具体的に記されているのは、ジェノサイドが減る一方で、マイノリティに対する組織的差別や迫害が増えるということです。

どういうことかというと、「**差別される側は、技術を利用することで、自ら標的になりやすくなるのだ**」と。そして実際の暴力を伴わなくても、デジタル技術を使えば、国の不安定要因となる少数派をオンラインの空間から消し去ることは容易であるというのです。

中国では、国が強い力をもって少数民族に対する人権を無視した弾圧を行っているのは世界にも知られているところですが、デジタル技術の発展はそれがより巧妙になることを意味します。それは実態が把握しづらい嫌がらせが増えるのと隣り合わせなのです。

マイノリティに対する嫌がらせを食い止める

私は、マイノリティに対する嫌がらせが、どうしたら防げるのかを考えています。

2019年に大ヒットした映画『ジョーカー』の最初と最後に、主人公の男が追われるシーンがあります。最初のシーンでは街の子どもたちに追われ、最後のシーンでは警察官に追われる。面白いのは、この男自身は、**自分を追ってくる者たちの区別がついていない**のです。ジョーカーにとっては、どちらも「怖い人たち」に追われているという描かれ方をしているように見えて、私はそれがすごく象徴的だなと思いました。

つまり、障害者には追われる理由の違いがわからない。「法規範を犯したから追われている」ことと、「理不尽な理由で子どもたちに追われていること」の違いが区別できない。どちらも理不尽だとも言えるし、あるいは子どもたちの方が規範的だと言えるかもしれない。そういう認知ができない人もいるのです。

私は**いまの法や社会のルールが、ジョーカーのような認知ができない少数**

派に対して、妥当なものとは言えないと思っています。法というのは、全員に対して妥当しなければならないものであるのに、本当にそうなっているのか。『第五の権力』にあるような、少数派に対する差別や嫌がらせを食い止めるには、法規範や社会制度が重要なのに、それが不十分ではないのか。

例えば、２０１９年に起きた京アニの放火事件の犯人は、明らかに福祉からこぼれ落ちた人でした。東海道新幹線の無差別殺人の犯人の小島一朗もそうですし、相模原のやまゆり園の犯人である植松聖にしても、「障害者の現実」を拾えていない法体系や制度であるために、起きてしまったことだと私は思っています。**これらの事件の根元的な原因は何か。社会はこのことを十分に考えられているでしょうか？**

私は、そういったことを変えていきたいと考え、政党を作りました。今は少しずつ選挙に出て、自分たちの考えを訴えていき、静かに日本の大切なものを守るというか、そういった一つの防衛勢力のようになっていきたいと思っています。

批判に実行力を持たせるしょぼい政党

「何もしないで批判だけしやがって」という意見は、妥当ではないし、批判だけでも大切だと思う一方で、この意見はそれなりの力を持ってきてしまっています。

私はイベントバーエデンという全国展開しているバーの経営者で、起業家としてまた作家としても行動しているわけですが、今回政党を立ち上げて政治に挑戦しているのは、批判するだけではなくて、自分たちでもやっていこうと考えた結果です。**「批判するなら対案出せよ」といった声が意味ありげな意見になってきてしまっているので、それに対抗するためにも行動が必要である**という理念のもとにやっています。批判に実行力を持たせるというか、**行動することは、説得手段としてもかなり有効**です。

政治に関しては、まだ動き出したばかりですし、政党の詳細については他の本を執筆中ですが、現在私が考えていることを記しておきます。

国家の話で言えば、主にはますます大きくなっていくであろう中国の影響力、香港のひどい状況があり、一方でアメリカが事実上守っていた「世界の警察」という役割を果たせなくなっている現状があります。

それはいまは対岸の火事のように思えるかもしれませんが、必ず、日本にもその波がきます。

中国とアメリカの力はどんどん拮抗していっています。そんななかで韓国の現政権は北朝鮮と統合に向かおうとしている。周囲にいる台湾・香港・日本は大変苦しい立ち位置に置かれています。

そのなかで**日本の自由主義・民主主義を守るにはどうすれば良いのか。**しかも、日本はどんどん人口が減り、高齢化している。そのような状況で、どうすれば日本は生き残っていけるのか。どうすれば日本の文化・伝統・自然などを守っていけるのか。そういうことをずっと考えています。

主には、まず日本・台湾・香港、そして韓国、韓国と北朝鮮との合流というのがどれだけ現実味があるものかわかりませんけれど、これらの国との関係を重視していかなければなりません。現在、台湾との間に正式な国交はない状況です。**香港の状況は日本も他人事ではありません。**

実務的な面はこれから色々な専門家、香港に詳しい方、台湾に詳しい方、そういった専門的な人たちの協力を仰いでいきます。

またメディア戦略はYouTubeを中心に発信していきます。現在、せっかく新しく出てきたYouTubeといった素晴らしいメディアが、N国党という非常にくだらない政党に使われてしまっています。ただただ**人の憎悪を煽って権力を持つという実例を作ってはならない**と、私は批判してきました。

次にインターネットを活用している政党はれいわ新選組ですが、ここもだいぶ厳しいと思っています。れいわの主張を見ていると、「金持ち」を仮想敵に設定して、そこを打倒すればどうにかなるといった妄言を吐いています。N国のような暴力性はありませんが、このような**単純な世界観は非常に危険**です。

こうすればすべて解決するんだ、こうすれば日本の生きにくさは解決するんだ、という考え方は非常に危険。とくに消費税を廃止して、お金持ちから取り上げる、法人税を上げると彼らは言っているわけですけど、もっと税の考えで言えば、「資産税」、いわゆる貯まっているお金に課税しなければ、絶対に良い方向にならないという確信があります。

れいわ新選組はそういった根本の部分に深く潜ってやるというよりも、山本太郎さんの煽動ありきというか、彼の言う「こうすればいいんだよ」という単純化された世界に熱狂しているように見えてなりません。

政治とか世界というのは、そんなに単純ではないのです。こっちを立てればあちらが立たずといった、利害もあるし、非常に複雑なものです。ですから、そういったことに関して専門家の意見を聞きながらやっていきたいと思っています。

星火燎原（りょうげん）

映画『ジョーカー』のラストシーンは（まだ見ていない人はごめんなさい）、見ようによってはキリストの復活を模しているように見えます。それは、今ある世界がリセットされて、今度はジョーカーが新しい法律になってしまうことを暗示している。社会は結局その繰り返しというか、法規範があって、それが崩れて、混乱が起きて、もう一回秩序が訪れる。その繰り返しでしかないので、そういう無常観みたいな暗示かなと思いました。

しかし**新たな法ができれば、また新たな混乱が起きる。世界的に見ても、そのようなことがもう一回起きたらアウト**です。だからなるべく**今の平和な状態を、頑張って維持していくべき**です。これは何も成さずに終わる可能性はありますけれども、できる限りやっていくしかありません。

後漢書に出てくる**「星火燎原」**という好きな言葉があります。**「小さな火が放っておくと大きくなり、いずれ野原を焼き尽くす」**という意味です。

私が提唱するしょぼい起業もそうですし、立ち上げたしょぼい政党もそうですが、最初は誰にも話を聞いてもらえません。でも、言い続けているとやがてそれが一つの大きな価値観となって、みなさんの元に届きます。

最初はたとえ小さな勢力でも、その火は消さない限り燃え続け、いずれ大きな勢力になっていくのです。

第4章

洗脳とメディア

人は簡単にだませるし、だまされる

もともと私はYouTubeのメインチャンネルで宗教のことを扱っていました。そこでは様々な宗教家との対談や、場合によってはその宗教に潜入して中の様子を探るなど、地上波では絶対にできないようなことをしていました。

加えて、この本でも色々書いてきたように「みんなが良いと思っているもの」や「面白いと持ち上げているもの」に批判を加えているシーンが目立つので、かなりの数の人から**「人にだまされない人になるにはどうしたらいいですか」**と聞かれます。

しかし、**そんな方法はありません。**私のことを本気でだまそうと思って綿密に計画してきた人間には私もだまされると思います。一番大切なのは**「別にだまされてもいいや」**という気持ちです。**そもそも大体の人間は、だまされやすい**のです。

もちろん人をだます行為にも、色々と種類やグラデーション（程度）があるわけですけど、例えば本気で私をだまそうとして「えらてんから金を取ってやろう」と思ったら、いくらでも取れる。然るべき近づき方をして、私に響くような理由を用意したうえで「どうしてもお金を用意してほしい」と言われたら私は断れません。そのような私の性格などを徹底的に調べて狙われたら、おそらくだまされてしまうでしょう。

だからもう、だまされるのは仕方がないことです。そんなものはだますほうが悪いと思うしかありません。だまされないようにしようという心構えはあってもいいですが、それよりも「この人にはだまされてもいいや」と思える人と付き合っていきましょう。だって人間は簡単にだまされるんですから。だまされてもいいと思える人がいることは、とても幸せなことです。

自分の能力に批判的であれ

そのなかで、いわゆるだまされやすい人、だまされて損をする人の特徴は、**「流されやすい性格で、楽をして稼ごうとしている」**人です。こういう人に限って、自分に何の能力もないのに誰かが自分のお金を増やしてくれると思っている。加えて自分の能力を過信しています。このような助平心を持った人間というのはだましやすいし、だまされやすい。

また、「自分はだまされにくい」と思い込んでいる人も厳しい。人間はそんなに賢くありません。自分に批判的になることが大事ですし、自分の力を見誤ると、あまり良いことはありません。

オレオレ詐欺にしても振り込め詐欺にしても、もちろんだますほうが悪い。でも「宝くじが当たる方法を教えますので振り込んでください」といった言葉でだまされているとすれば、それはあまり同情できないというか、ハッキリ言ってバカです。

「自分はだまされやすいんだ、だまされてもいいや」という前提で生きていきましょう。

――すべては洗脳である

これも前提の話になるのですが、世の中にあることのすべては洗脳です。

「洗脳するな！」とか「洗脳は良くない」ということがしきりに言われていますが、私は洗脳について必ずしも「悪」だとは思っていません。

どういうことか。**洗脳というと、単一の思想で人々の思考を染めることがイメージされますが、これにはグラデーションの問題があります。**つまり、「ものを盗んではいけない」と教えることが洗脳かどうかと言われれば洗脳なわけですし、「人を叩いちゃいけないよ」というのも洗脳です。私の娘は息子を叩きますから。子どもは子どもを叩きます。でも、「人を叩いちゃだめだよ」と繰り返し言い聞かせると、人を叩かなくなってきます。これは洗脳そのものだと思いませんか？

また、学校教育も洗脳中の洗脳です。「みんなで仲良くしましょう」とか「明るく元気でいましょう」とか、すべてが洗脳です。組織にしても「この時間に来なければならない」とか、「遅刻したら怒られる」とか、全部洗脳なのです。そう、**「世の中は洗脳だらけ」**なのです。

その前提で、そのなかにも良い洗脳と悪い洗脳があります。**悪い洗脳とは、社会規範に大きく反する洗脳**で、これは問題視されてしかるべきです。ですから、社会でちゃんと生きていこうという気があるなら、社会的に問題のない洗脳をすべきだということです。

カルトとは何か

悪い洗脳の１つの形としてイメージされるものに「カルト」と呼ばれる集団があります。どんな集団がカルトかというと、**社会常識からの乖離（かいり）、人権**

の軽視とその程度が判断の一つの基準でしょうか。

私は元カルト教祖ということもあってあまり好かれていないのですが、『やや日刊カルト新聞』を主宰する藤倉善郎氏のnote（ユーザー投稿型のwebサービス）に興味深い記事がありました。

『カルトの定義をめぐるあれこれ』（藤倉善郎［やや日刊カルト新聞］note／2018年4月21日）と題されたその記事には、幸福の科学の総裁である大川隆法氏の写真が2枚並べてあります。藤倉氏は大学などで「カルト」について講義をする際に、この大川隆法の写真を並べて見せてからカルトについて説明すると言っています。

1枚目の写真で「見るからにイカれていて、カルトっぽいと感じる人が多いかもしれません。でも、これを根拠に幸福の科学をカルトと呼ぶことはできません」と説明します。2枚目の写真では、「服装はイカれていませんが、これは教祖が妻の霊の言葉と称するものを語りながら妻を信者たちの前でこき下ろしている映像。名誉毀損も人権侵害です。これがカルトです」と説明します。見た目や教祖の行動の異常さではなく、人権侵害こそが「カルト」たるゆえんだという話です。

藤倉氏は、**「見た目や思想がおかしいからカルトと定義されるのではなく、違法行為や人権侵害を行う集団がカルトである」**と定義をしているわけです。

要するに「これがカルトなんだ！」という明確な定義はなくて、**「カルト的な行為があり、そのカルト的行為が多い」のがカルト集団**であるということです。

だから、カルト集団がカルト集団でなくなることもあるし、元々カルト集団でなかった集団があるときカルト的行為を働いてカルト集団になることもある。それはシームレスにつながっていて、どんな組織やコミュニティにも当てはまります。

洗脳からの解放

すべてが洗脳だとしても、もちろん、どんな洗脳もして良いと言いたいわけではありません。社会的に著しく良くない、非常識的な洗脳をすると非常識的な結果になってしまうということを我々は経験しています。ですので、非常識的な洗脳は良くない。なぜ良くないかというと、非常識的だからという、身も蓋もない結論になるのですが、そうなります。

非常識的な洗脳は、社会とあまりに乖離しているから良くないとしか言えないわけですけど、だからといって、その良くない洗脳にはまってしまった人をあちらの世界からこちらの世界へ強引に連れ戻すというのは難しい。というかこれは無理です。それに、その人の幸せを考えた場合、あなたが悪いと思うからといって、その人をそのコミュニティから離すことが正しいかというと、そうとも言えません。カルトに入るとその人にはそのコミュニティしか存在しなくなり、そこから引き離すと人とのつながりが一切失われてしまうことがあります。すると、**連れ戻したはいいものの、その人自身が幸せではなくなってしまう**というケースも多いのです。

ですから、こういう本を読んで、自らが気づいていくしかないんです。私の『「ＮＨＫから国民を守る党」の研究』もそうですけど、あれを読んで「ＮＨＫから国民を守る党」の信者をやめました」という人も結構います。

結論はおかしいことをおかしいと批判できる力を鍛え、ダブルスタンダードを批判する。そういった**「批判力」を持つことでしか、良くない洗脳から身を守る術はありません。**

SNS黎明期の危険

情報の記録や伝達、保管などに使われる装置のことを「メディア」と言います。メディアと言われて思い浮かぶ代表と言えば、新聞や雑誌、テレビ、そしてSNSをはじめとしたインターネットメディアなどが挙げられます。このメディアに情報が乗せられて広く伝えられるわけです。先にも言いましたが、「学校教育」も洗脳の一つであり、近代国家が発明した一種のシステムで、子どもにものを教えるというメディアなわけです。

あらゆるものがメディアになるわけですが、一般的に**人間の倫理や宗教は、メディアの進化とともに変化してきた**と言えます。

聖書は紙 paper の語源ともなっているパピルス papyrus で広まり、活版印刷の登場によってさらに普及しました。

近代では、ナチスドイツはラジオの登場とともに支持者を獲得し、最近ではトランプ大統領はSNS、主に Twitter を使ってその思想を広く喧伝（けんでん）しています。このように**新興勢力とメディアの変遷には切っても切れない関係があります。**

最近では YouTube のような動画投稿メディアが普及してきました。TikTok もそうです。それこそN国は YouTube から誕生した政党ですし、私が立ち上げたしょぼい政党も私自身がユーチューバーですから、このメディアを使って自分たちの考えを広めていこうとしています。だからこそ、メディアの良い側面を当然知ったうえで、その善し悪しは裏表の関係であって、無条件に良い面だけを信じることは非常に危険であることを伝えていきたいと思っています。

そして、**メディアの黎明期は、新興勢力が支持を拡大していくのにうってつけの時期**です。現在、ＳＮＳ全般がまさにその時期にあります。

日本では１９９５年にWindows95が発売されてから、国内におけるインターネット市場が急速に発展しました。誰もが無料で情報にアクセスでき、情報を発信できるようになった。さらにはここ20年あまりで、２ちゃんねるやミクシィが登場し、あらゆるものが誕生しては淘汰されつつ、Facebookや Twitter、そしてYouTubeなどのＳＮＳが登場し、双方向の情報発信が可能になりました。現在進行形でこれらの技術は進化しています。

これらＳＮＳの発展はまだ20年程度と日が浅いため、それらが社会に及ぼした影響を検証しきれてはいない段階です。この状態は、私たちにとって**免疫のない状態**なのです。

例えばいま、ラジオやテレビでヒトラーがしたようなことが流れてきても、「普通じゃないな」と歴史的に知っているので、そこまで危険ではなさそうです。しかし、これがYouTubeなどで流されると、私たちにはまだ免疫がありません。過去の事例が少ないぶん、常に警戒というか、それこそ批判的な視点を併せ持っておかなければなりません。

個人情報のビッグデータによる洗脳

２０１６年のイギリスのＥＵ離脱（ブレグジット）を決めた国民投票と同年

のトランプ大統領が誕生したアメリカ大統領選挙にFacebookの個人情報が利用されたことを描いた『グレート・ハック：SNS史上最悪のスキャンダル』（Netflix）というドキュメンタリー映画があります。この映画では、ケンブリッジ・アナリティカというイギリスの会社がFacebookから個人情報のデータを買い、選挙を操作した手法が描かれています。

この映画を観ると、ついに個人情報というデータを保有する企業の価値が石油企業の価値を上回ったということが如実にわかります。なぜデータが価値を持つのか。それは個人情報のビッグデータをＡＩに分析させることによって社会を豊かにし、その結果としてお金が稼げるというよりも、データを解析すること自体が価値になっているからです。

この映画で描かれているのは、**個人情報に基づいたインターネット広告を**

使った洗脳です。

例えば、アメリカには51の選挙区がありますが、まったく勝ち目のない選挙区などは無視して、**競(せ)っている選挙区の「説得可能者」を陣営の望み通りの質になるまでターゲット広告する**のです。

説得可能者というのは、ターゲット広告をすることで、選択肢を操作できる可能性のある人を指します。具体的には右翼政党であれば、右翼系の動画に「いいね」をしているような人は最初から支持者であると見なせるため、ターゲット広告をする必要がありません。反対に、左翼系の動画に「いいね」をしている人は、そもそも説得できる可能性が低いと判断されます。

つまり、ここでいう「説得可能者」は、右翼系と左翼系の動画のどちらにも「いいね」をしているか、どちらにも「いいね」をしていない人たちのことです。**個人情報のビッグデータで説得可能者を割り出し、その人たちを望**

み通りの質になるまでターゲット広告をする。２０１６年のアメリカ大統領選であれば、〝悪党ヒラリー・クリントンを倒せ！〟みたいな広告を、説得可能者の利用するウェブサイトに繰り返し流し、その人たちが「いいね」するまで広告を出し続けるのです。

ここで流す情報はフェイクニュースでも何でも良く、特定の人の思想を変えるまで続けます。この時の選挙でトランプ陣営つまり共和党は、移民排斥を唱えてメキシコとの国境に壁を作るなどと公言していたわけですが、「移民が入ってくるととんでもないことになる！　現にトルコは61万人の難民が入ってきて大変なことになっている！」といったニュースをテロリストの写真付きで流して、不安をあおったりしていました。

これに対して、**「説得不可能者」つまり明確に反対勢力とわかる思想の人たちには、政治に対して無関心にさせるような広告を流します。**「選挙なんて行ってもしょうがないでしょ」という気持ちにさせる広告を打つわけです。

日本に置き換えて、あなたが自民党ではない政党を応援していたとします。そこで、自民党を勝たせたい人たちは、「選挙に行っても、結局自民党が仕切っているんだから、行ったところで何も変わらないでしょ」といった趣旨の広告を、あなたの目に入るように流す。これを流し続けて、「選挙なんか行くのダサくない？」という空気を作り出して反対派を無効化するのです。


ご存じの通り、結局２０１６年のアメリカ大統領選挙は、民主党が勝つという当初の予想を裏切る形でトランプが勝利しています。

この時トランプ陣営のデジタル戦略を率いたブラッド・パースカルは、「勝利に導いたのはトランプ自身だが、ＦＢはそのメソッド。ＦＢはトランプが運転する車のハイウェイだった」という言葉を残しています（日経ビジネス『ＦＢはトランプとロシアにどう使われたか？　言論プラットフォームが民主主義を毀損する皮肉』篠原匡　2017年11月8日）。

分断統治

この映画で言われていた具体的な洗脳の手段の裏側には、

・注目をデザインする
・恐怖と怒りを刺激して本能に訴える

という考えがあるといいます。

「怖い」とか「許せない」といった感情を、意図的に操作するわけです。

結果的に２０１６年のアメリカ大統領選挙では、トランプ派かそれ以外かと国が2つに割れました。そして「トランプバンザイ」や「ヒラリー出て行け」という世界が作り上げられていった。Facebook の創始者であるマーク・ザッカーバーグは、ケンブリッジ・アナリティカの罪が問われたイギリスの裁判に出廷して Facebook の罪を問われた時に **「人と人をつなぐソーシャルネットワーキングサービスがこのように使われて残念だ」** という趣旨のことを言っています。

結局、ケンブリッジ・アナリティカは国民の信用を全て失い、事業が続けられなくなりました。Facebook も組織改革を余儀なくされたわけですが、ここで一つの疑惑が浮上します。それはこのアメリカ大統領選のさまざまな謀略が、ロシアの主導で行われていたのではないかというものです。

分断統治は歴史上もさまざまな場面で使われてきました。要するに、**世論が2つに割れていたほうが第三国は与し易い**わけです。国民同士がお互いに憎み合って一致団結しないような世界では、国力がどんどん削がれていきます。

日中戦争は最終的に中国が勝利しましたが、その大きな勝因の一つは、割れていた毛沢東率いる中国共産党と蔣介石が率いる中国国民党が「国共合作」により一つになったことです。中国共産党と中国国民党が分断されている状態が続けば、もっと難しいものになっていたでしょう。

私は陰謀論などをあまり信じていませんが、**敵対する国や競争する国が、内政でもめていればそれだけ自国に有利に働く**というのもまた事実です。

できて間もないメディアで起きることに対して、私たちは免疫を持っていません。

このように、そのメディアの持つ効果がどのようなものであるかを検証できていない段階では、常に警戒というか、**「どういう種類の思想を刷り込ませようとしているのか？」といったことに意識的になれるかどうか**が大切です。いわゆる物事を違った視点から見て考える「メタ認知」や「メタ思考」と言われ、大変難しいのですが、このような意識を持つことが重要です。

思い込みを自覚し、反対意見を聞きにいく

少し前に、YouTubeで鳩山由紀夫さんに言及したことがありました。鳩

山さんが新しい政党を作ると言っていて、それが気になると発言したら、「え？　鳩山？」「あの民主党最悪の？」といった否定的な意見を言われました。

もちろん、そういう意見があっても良いとは思うのですが、「具体的に鳩山由紀夫の何が嫌いなの？」と聞いていくと、返ってくる意見のほとんどが「いやネットに書いてあって…」といったものでした。「鳩山由紀夫のこれこれこういう政策が全然ダメで、だから嫌だ」みたいな、そういう明確な答えを返してくる人はほとんどいませんでした。それは安倍晋三現首相にしてもそうです。政治家に対してはほとんどの人が、否定的な意見を持っていたりしますが、それを具体的に言える人は少ない。

ただ、そこで考えてほしいのは**「その印象って操作されていないか？」**ということです。

実際、これは非常に難しいというか、「印象操作されていない自信があるか」と聞かれると、私も結構際どいところがあります。

例えば、嫌いな人がいたとして「わたしはどこからこの人のことを嫌いなんだろう?」と遡って考えていくと、案外**その時に見ていた広告とかTwitterのタイムラインに流れてきたみんなの意見とか、周りの雰囲気とかに操作されていたりする**ことが多いのです。

一番言いたいのは、最終的に誰を支持してもいいけれど、「最終的には自分だ、自分で考えよう」と言って、**その自分の考えは本当に自分の考え?ということに自覚的になるというか、「いま、こういう情報を繰り返し流されているな」といったことに気づけるかどうか**が大事です。人間の脳みそはそんなに強いものではないから、印象を操作されてしまうことは、ある程度仕方のないことです。ただ、それに自覚的になることが大切です。

私が自覚的にやっているのは、世間の評判が悪いとされているもの、それこそ鳩山由紀夫さんとか、そういう人たちが発信する情報や持っている思想をあえて吸収しに行くことです。

2ちゃんねる創始者のひろゆきさんも同じようなことを言っています。ひろゆきさんは、**自分がまったく共感できないような人をあえてフォローして、その人の意見に触れることで、一方的な思い込みなどを防いでいる**そうです。

自分と同じ意見ばかり見ていると気が楽です。でも、**自分が全然理解できない人や嫌悪感を覚える人、拒否感を覚えるようなロジックを操っている人をあえて見て、この人はどういう考えでこれを言っているのだろうと考える。**そういったことが、一方的な洗脳から解放される数少ない方法の一つです。

第5章
批判と知性

すべての情報は切り取りである

これだけインターネットが発達し、めちゃくちゃな量の情報が世に出回っているなかで、どういった情報を信じ、または信じないようにすればいいのかに悩んでいる人は多いと思います。

そのなかで前提として押さえておくべきなのは、**すべての情報が「切り取り」である**ということです。あなたがいま読んでいるこの本を含めて、日々接している情報は、すべてが切り取られています。

「それは切り取りだ！」とか「切り取るな！」と口にする人の多くが、その前提条件を忘れてしまっています。情報は発せられた時点ですべてが切り取りなのです。

■図５：空間と時間軸

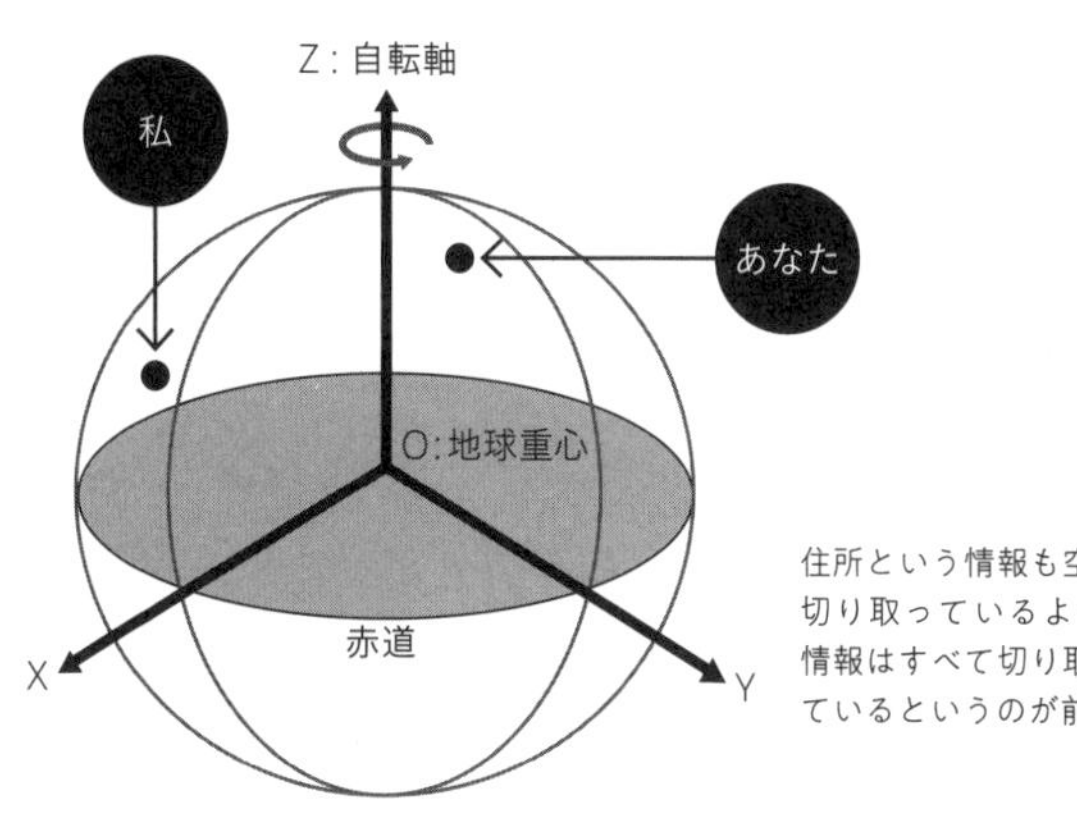

意図的に悪意ある切り取り方をして批判する人ももちろんいるのですが、それにしても、世の中にあるすべての情報が切り取られていることを忘れてしまう人が余りにも目立ちます。

私たちは、３次元の空間に加えて、時間空間に生きています。

例えば、地球の中心を原点とすれば、今あなたがいる場所は、地球の中心からXなり、Yなり、Zなり、切り取られた場所です。それを住所と呼びます。

また、人の身体は40~60兆個の細胞からできていると言われ、その一つひとつが情報を持っています。あなたの身体が持つ情報量は膨大です。体温にしても、話し方にしても、それが変わると伝わり方も変わりますよね。声を張り上げて「このやろう」と言うのと、じゃれるように「このやろう~」と言うのとでは、伝わり方が180度変わる。声色、顔、表情……どれか一つでも変えるだけで、受け取る側の印象が変化します。

YouTubeのような動画の場合、視覚情報に加えて音も入るので、文字よりは切り取りの度合いが比較的薄くなります。しかし、それでも切り取りであることに違いはありません。

その事実は、24時間365日、360度カメラをつけようとも変わりません。なぜならカメラがついているということで、その人が言うことは変わってくるかもしれないし、そもそも「カメラをつける」という選択をした時点で、時空間を切り取っているわけです。
テレビや映画で「ノーカット版」などと言いますが、「はい！　これからカメラ回します！」となれば、その時点で切り取っていますよね。

こう改めて文字にすると「そんなの当たり前だ」と言われるのですが、まさにいまはその当たり前の話をしています。編集の手が加えられたものと、無編集のもの、あるいはこの本のように文字ベースのもの、あるいはイラストと文字で構成されるマンガなど、本当に**さまざまな情報の切り取り方があり、それぞれに長所と短所がある**というのは、当たり前の話です。

それにもかかわらず「YouTubeは切り取りではないから信用できる」とか、「勝手に切り取るな！」といって、批判していい気になっている人がいます。
そうではなく、すべての情報は「切り取り」であるし、発する情報は「切り取られるものである」という前提のもとで、発信するべきです。

その前提を踏まえたうえで、その批判が「切り取りかそうでないか」をしっかり見極める。「誤解されたら申し訳ない」とか言った大臣もいましたけど、**すべては切り取りであり誤解を生むものであるから、その前提で発言なり批判なりしていくことが大切**です。

――信頼できる情報源

このように、すべての情報が切り取りであり、その上でどの情報源が信頼できるかというのは、経験則の話になります。

数あるメディアのなかで相対的に、新聞などが信頼性が高いのは当たり前

です。新聞社というのは正確な情報を伝えることを第一義に組織された集団なわけで、ファクトチェックもするし、間違えたらちゃんと訂正もしなければなりません。誤った情報を流したらものすごい批判が来ますし、毎日、そして何年もそういうことの繰り返しで成り立っているわけですから、他のメディアに比べて信頼性が高いのは当たり前です。

偏向報道なども多少はあると思いますが、ユーチューバーとか個人が発信する情報に比べれば信頼に値するというのは当然の話です。ユーチューバーなんてその日その場で思いついたことを、適当にベラベラ喋（しゃべ）っている人たちです。ファクトチェックなんかせずに、多少していても新聞などの組織化されたメディアに比べればザルのようなチェックで情報を出しています。今日言ったことが次の日には変わることなんて、人間であれば当たり前にありますし、個人が発する情報のほとんどが偏向報道です。新聞とかのメディアにしても、人間の集合体で成り立っていますから、それぞれに社風があって理念があって、その下に情報を発信しているのですから、情報が時に偏ってしまうというのは当然にあり得ることです。

しかしどのメディアが信用できるかと言われれば、相対的な話として、個人よりも新聞などの組織化されたメディアの方が信用できるよね、ということになります。「太陽は東から昇り西に沈む」くらい当たり前のことです。人的資源と蓄積が違いますから。

その前提がありつつ、発信されている情報が本当に正しいのかどうかを確かめるためには、**複数の信頼できるソースに当たる**ことが必要です。仮に一つの新聞は信頼できないにしても、複数の新聞で同時に報道されていることはほぼその通りである可能性が高いと判断できます。

あとは**「自分が信頼できる人」を何人見つけられるのか。**私は中田先生や内田先生を信頼しているので、「この人は信頼できるな」と思える人を見つけましょう。これは非常に大切なことです。

第2章で起業家正田圭氏を批判したエピソードを書きましたが、私が彼の批判に踏み切ったのは、私が信頼するある人物から「正田氏のプロフィールがどうも怪しい」と聞いたからです。きっかけは信頼する人物からもたらされた情報です。私がその人を信頼できる人間だと認知しなければ「そんな与太話は聞かないよ」という話で終わっていました。

私はさまざまな界隈（かいわい）に信頼できる人間がいます。そういった信頼できる人をどれだけ持てるかが大切です。

常識の基準と情報商材

情報を誰でも発信でき、受け取ることができる現代は、その情報に値段をつけて売る「情報商材」と呼ばれる商品が目につくようになりました。この「情報商材」は悪いものとして認知されていますが、実際に何がいけないかというと、別に何もいけなくない。なぜなら、情報に値段をつけて売るというのは、この本にしても新聞にしても、あらゆるメディアで行われていることだからです。**情報に価値があるかどうかというのは、受け取る人によって異なります**し、この本の内容にしても、１５００円出して手に入れられるわけで、情報商材と言われればその通りです。

ただ、当たり前ですが、物事には程度というものがあります。

「あ」と書いているだけの紙を「10万円です」と売るのはおかしいわけです。「どこにでも書いてあることをただ並べて、特別に実績もない人がYouTube攻略の教科書です。３万円です」と売るのはどう考えてもおかしい。そのうえ、こういう商品に限ってお金を払うまで中身も見えないことが多い。

どこにおかしさの基準を置くかはとても難しいし、どこがダメなんですか、基準はどこなんですかと聞かれると、正直、わからない。「あ」と書いてある紙を10万円で売りますというのは、私はおかしいと思いますが、そのおかしい基準は何ですかと聞かれると、わかりません。

ただ、**「常識的な判断」**というものがあります。この常識的というのが結構大事です。

思想家の内田樹先生は**「明証を以ては基礎づけられないけれど、なんとなく確信せらるる知見」を「常識」と呼び、「いや、お前の言うこと、おかし**

いよ。うまくいえないけど、それって常識的に考えて、おかしいよ」というような形で表現されると言っています。

例えば、「葬式に白いスーツで行くことは非常識だ」なんて言われますけど、どこにそんな決まりがあるんだと聞かれると明確な答えはありません。「喪服は黒だ」と言うけど、別に法律で決まっているわけでもなければ、それが決まりだなんてどこにも書いていないわけです。ソースを探すのもバカらしいし、でも**なんとなくダメでしょうという感覚**ですよね。「それはやりすぎでしょ」という感覚は大事にしたいし、大事にすべきです。それを明確に規範化するのは国の仕事です。しかし、第3章で書いたムハンマドの言葉のように、なるべく規範は増やさないほうがいいわけです。

よくわからないYouTube攻略の教科書3万円とか、誰でも起業家になれるとうたった65万円のセミナーとか、攻略できないのに攻略できる、起業できないのに起業できると言って高いお金をとるのは、常識的ではないし、批判されて当然です。言ってしまえばウソですから。買った当人が満足しているんだからいいじゃないかと言えば、それはその通りですが、私は**「なぜダメなのかはわからないけど、常識的に考えてダメだと思う」**と答えますし、そういった商品を批判します。

その批判がある程度の人に響いて、高いお金を払って情報商材を買うことをやめたり、セミナーを抜けたりすれば、それは批判の力が成立したと言えます。実際に私の周りにも、それで「目が覚めた」とか「救われた」と口にする人は何人もいますし、常識的でないものに対しては批判を加えていくことが大切です。

自分にわかることしかわからない

人間は自分にわかることしかわかりません。

私たちはYouTubeなどで動画を見る時、どの動画を見るか自分で選ぶわけですが、大体がわかる動画しか見ないし、それは文章でも同じで、わかるものしか読めないわけです。しかし、**わかるものだけを選んで見たり読んだりすること、それは自分の知識を増やしたり、思考を拡張させたりすることにはまったく役に立ちません。**自分が聞いてわかることや理解できることは、現在の自分の理解力なりにしか理解できないからです。

自分の知識を増やしたり、思考を拡張させたりするにはどうすればいいのか？　それには、**自分がわからないところに飛び込んでいったり、何となく価値がありそうだなと思う場所に行って誰かの話を聞いたり、誰かの本を読んだりすることが大切**です。

例えば大学や大学院は、そういう場所です。ゼミでは一回読んだだけでは到底理解できないような難読な本が課題として出され、みんなで議論をしながら読みます。わからないけれども、先生が言うからには何かしら意味があるんだろうなという前提のもとで読み進めていく。そして「なんかわかるかなぁ」という、少し釈然としない感じで読み終える。それを経て、自分の知識が拡張する。

そういったことの繰り返しでしか、自分の知識というのは拡張できないのです。

わからないことを保留する

私は、内田樹先生や中田考先生を尊敬しておりますが、正直、彼らの言っていることには、わからないことが多いんです。時には、「その考え、むしろ逆じゃないか？　全然違くないか？」と思ったりすることすらあります。

例えば中田先生は「財産なんて全部使ってしまえ」というようなことを言っていて、でも私は「いや、少しは貯めておいたほうが良いのではないか」と思ったりする。しかし、「お金は全部使ったほうが良い」としばらくしてから気づいたりします。

お金は使わないと意味をなしません。お金自体には何の価値もないわけです。お金は人にあげるからこそ価値を持つわけで、人にあげないで取っておいても意味がない。具体的にやりたいことがあるから貯めるのはもちろんわかるのですが、漫然とただ貯めるのは意味がないし、やめるべきです。
それに、お金を持っていると金持ちだということで責められる。だったらもう全部使ってしまったほうが良いのです。ただ、不測の事態もあるので、手元に50万円くらいは残しておくのが無難です。

このように「いや、どう考えても違うだろ」とその時は思ったとしても、あとで「そういうことか」と気づけたりします。だから**「わからないこと」を受け入れないのではなく、この人が言うことは一旦保留しておこうかな、と思えるような人を見つけることが大切**です。

頭の強い人になる

内田先生は「もっとわかりやすく話してください」と言ってくる人とは、話をしないと言っています。それは人間の思考やロジック、概念というのは、非常に複雑なものであって、**複雑なものは複雑にしか受け入れられない**からです。世界は複雑だから、複雑なままでしか受け入れ得ないのです。

そういうふうに複雑なものをわからないまま、自分のなかに受け入れて考えられる人のことを、内田先生は**「頭が強い人間」**と言っています。**複雑な問いに対して、早急に決断をしたり求めたりする人ではなく、それをしっかりと受け止めた上で保留できる人**のことです。

複雑な問題と言えば、歴史が絡む外交です。なかでも、日韓関係は複雑を極めています。そういった問題に対して「日韓は断交すべきか交流すべきか？どうなんだお前！」などと聞かれた時に「いや、ちょっと待ってくれよ、そんなの即答できないよ」と保留するとします。すると、そういうあいまいな態度は、YouTubeやTwitterをはじめ、ネット言論会ではあまりうけません。「それは複雑な事情があるから個別に丁寧にやらなきゃいけない……だからすぐには答えられません」みたいな歯切れの悪い感じはうけないのです。しかしどうもネットの場では、よく考えているかどうかは考慮されず、複雑な問題に対しても、はっきりものを言った人が評価され易い傾向があります。

しかし、物事というのはすごく複雑なのです。日韓の関係には、私たちが生きている間では学びきれない連綿と続く歴史があるわけで、そんなはっきり答えなんか出せません。そういう複雑な問題に関しては、落ち着いて勉強しようとか、勉強している人のところに行って話を聞くとか、**勢いだけではなくて、深謀遠慮な姿勢が大切**です。

物事を単純化して言い切る人は怪しい

ここまでの話は抽象的ですが、とても大事なことです。**「わかりやすい」もののなかにこそ、危険な考えが混ざりがち**です。そういったものに対して批判的に見る力をつけなければなりません。

なぜなら人をだましてお金を儲けようとする人には、「物事を単純化し断定する」という特徴があるからです。その視点で見ていくと、ちょっと怪しい団体や人、コミュニティ、情報などの見え方が変わってきます。

例えばある一つの論文に「このサプリでガンは治りますよ」と書かれていたとしても、そう簡単には薬として認められません。人の生死に関わる薬は、多くの研究と議論の積み重ねを経て、学会単位で支持されるようになって初めて、実用化されているからです。

こうした複雑なプロセスがあるにもかかわらず、それらを無視し、「今の薬はダメだ！」「これを飲めばがんが治る！」とか、「現在の医療は医者が儲けるためにやっているんだ」といった極めて単純化した論理展開をする人がいます。ある観点からはそう見えなくもないし、場合によっては一見腑に落ちてしまいがちです。

想像してみてください。あなたがある病気を患っていたとしましょう。それなりの期間薬を飲んでいるのに、どうにも調子が良くなりません。「一切快方に向かわないのに、今日も病院で長時間待たされたな」とか、あまり良くないことが続いているような状況で「あなたはだまされています。医療は既得権益層に守られていて、特定の人間が儲かるために操作されています。今あなたが飲んでいる薬はダメです。このサプリを飲めば一発で治ります」といった、すごく単純化された論理を口にする人が近寄ってくると、わかりやすいからスッと受け入れてしまったりするわけです。

サプリを売りたい人は、**すぐに解決できない複雑な物事に直面して困っている人に、それを簡単に解決する方法があると、単純化したロジックで感情に訴える**わけです。すると、その人は「あ、確かに医者って儲かってるよな。既得権益側だよな」と思ってしまう。**まったくのウソではなく、ある側面から見ればそういうこともあるのだろうと思えることをうまく利用して相手を納得させる**のです。

似たような話で、タバコを吸ったら肺がんが増えるという研究に対して、

「喫煙者が減っているのに肺がんは増えている。だからタバコは吸っても良い」とテレビで発言した教授がいましたが、これも話を単純化しすぎて、真実が見えていません。

数字で考えれば、平均寿命が伸びれば必然的にガンは増えます。それを「タバコは吸っても大丈夫」みたいな単純な話に結びつけて、根拠がないそれっぽい話を、あたかも真理であるかのごとく正当化してしまうのは、本当にアホらしいことです。第2章で述べたように、しっかりとファクトを見ようとしないと、人は簡単にだまされてしまいます。

一方で、複雑な物事を単純化したほうがお金は儲かります。「これを読めばガンは絶対治る！」と書けば、本は売れるでしょう。「宿題は無意味だからやるな！」と言ったほうが、数字が取れるしそれらしく聞こえるでしょう。

そうやって、自分だけがお金を儲けて人生を逃げ切ろうと思えば、簡単にできてしまいます。NHKをぶっ壊すと言って、ぶっ壊す気もないのに参議院議員になればお金を儲けられるのと同じように、デマを飛ばして、疑う視点を持たない人たちを引き入れてしまえば、その人たちから小銭をもらって生活できてしまうのです。

物事は単純なことのほうが伝わるし、感情に訴える力も強いので、正しそうに聞こえます。反対に自分の常識から外れたことや複雑なことは、すぐには理解できないから、受け入れにくいのです。

だからこそ、この人の知性は信頼しているから、この人の話は聞いてみようかなとか、そういった人が一人でもいる人は幸せです。

「中立」も誰かの支持につながっている

よく言われる「中立」という立場があります。私はさまざまなことに対して明確に批判をしますし、その態度に引いてしまう人も結構多いと思います。そういう時に出てくるのが「中立」というポジションを取る人たちです。

中立とは、例えば私が「Aはクソだ！」と極端に責めた時に初めてできるポジションです。**批判がない限り、中立という立場は生まれません。**

もちろん、色々な意見があるのですが、「中立」という立場の人によく見られるのが「私は物事をすごく冷静に見ていますよ」という態度です。自画自賛するわけではないですが、私みたいな完全に打ち込む人間がいなければ、中立という立場はできないわけで、あとからそこに入ってきてよく調べもしないのに知った顔で得意げになる人が「あの人は冷静で、客観的に物事が見えている」ともてはやされるのも危険です。
とくに日本人は、**中立という立場が偉いと思い込んでいる**ところがあります。学校教育でも政治的中立を教えられますし、それはある意味「中立が良いことだ」と洗脳されているわけです。

ロシア革命の指導者・レーニンは**「無関心は権力者、統治者への静かな支持である」**という言葉を残しています。ロシア革命云々は別だけれど、何かに対して何も意見をしないとか、自分のポジションを曖昧にして、斜に構えて見ているのが上級なように見えるのだけど、それは、間違った物事や言説をよく知ろうともしないまま、そのまま受け入れてしまうことにつながります。このように「中立」というのも態度ですから、誰かを支持することに間接的にはつながっているのです。

――本物の「冷静な第三者」

実際に政治に挑戦してわかったことでもありますが、いざ協力者を集めようとすると「自分は出ないけど見ているね」という人が本当に多いです。「冷静な第三者の視点で見ているよ」みたいな人ばかりなんですね。「中立」とか「冷静な第三者」にしても、あるべきポジションの取り方があります。

ある精神科の先生に選挙への協力を打診したところ、「政党から選挙に出るということが、患者さんに対して悪影響にならないか、少し考えさせてほしい。もし悪影響が出るとするなら協力はできない」と言われました。また、結果的に八王子市長選挙に立候補してくれた会社経営者のこやなぎ次郎さんは、出馬を打診した時にこう言っていました。

「市政に言いたいこともあるが、1時間待って。出るにあたって共同経営する友人に迷惑がかからないかだけ確認させてほしい」

要するに、**本当の意味で保留ができる人というのは、明確な条件のもとに保留するとか、こういう条件が解決したら返事を出すとか、いつまでに返事を出すとかいうことをちゃんと言える**のです。でも、たいていの人は漫然と、なんとなく評論家みたいなポジションを取って「冷静な第三者」でいようとする。それはわからないことを保留するということではありません。

そして、一番言いたいのは**「冷静な第三者」という中立のポジションは、そんな甘いものではない**ということです。本当の中立、本当の冷静な第三者でいられる人は、ものすごい実力があったり、明確な目標を持っていたりする人です。

本当の中立

前にもすべてが洗脳だというお話をしましたけれど、人権にしても民主主義にしてもすべてが洗脳の結果できていることです。言ってしまえば、**すべては何らかのポジショントークではある**んです。穏当で平和的なことを言っても、それは何かしら政治的な意見や思想につながってくるものであり、そういう思想のようなものに、まったく関知せずに意見を言うことが中立と言われるものですけど、それは実際にやろうとすると、ものすごく難しいのです。

なかには「中立」を貫いている人もいます。私の好きな数学者ユーチューバーのヨビノリたくみさんは、思想や政治についてまったく言及しませんが、おそらく、数学を教えるのにそういった思想は邪魔になるからだと思います。
確かに、何かを教える人というのは、数学者にしてもスポーツにしてもそうだと思いますが、**純粋に学問の面白さだったり、スポーツの技術であったりを伝えることにおいて、思想的な理由でこの人から学びたくないと思われてしまうと、本来の目的が達成できません。**もちろん、その指導者たちの心の内まではわかりませんが、それは他人の与り知らぬところです。

あるいは「わからない」という態度はまだわかるんです。わからないことは言及しないし、態度に出さないということは大切で、わからないのにわかるように発言するというか、**わかっている振りをして「中立です」と言ってしまうのは危険**です。そういう考えもなく「それぞれの政策をちゃんと見させていただいてから決めたいと思います」とか言われると、「なんだかなぁ」と思ってしまいます。

また、これも私の個人的な見解ですが、宗教学者の島田裕巳先生は究極の「中立」の人だと見ています。

私のYouTubeのメインチャンネルで一番視聴数の多い人気動画に「入ってはいけない宗教５選」というものがあります。この動画の取材の時に、島田先生に話を聞きにいったら**「入ってはいけない宗教なんてないんじゃないですか」**とおっしゃるんですね。要するに、**自分は宗教学者だからどの宗教も観察して研究する対象であり、それ以上でも以下でもない**ということなんだと私は解釈しました。

島田先生は過去に「オウム真理教を擁護した」とか言われて叩かれたことがありましたが、そういう擁護とかは一切しておらず**「オウム真理教に入ることもその人の人生でしょう」**という立場を貫いていました。「私はそれを見て観察するだけです。私は入りませんけどね」という究極の中立の立場をおっしゃっていて、私はそれを聞いた時に鳥肌が立ちました。この人は根っからの宗教学者だなと思いましたし、オウム真理教に入った人が人を殺して死刑になる、そこまでじっと見て批判も肯定も加えず、観察して研究することがいかに大変なことか、いかに狂気であるか。**「中立」と軽々しく口にして高尚振っている人たちに「あなたにそれができますか」と問いたい**です。

ですから、批判をするにしても、何かに意見をするにしても、何か行動を起こすにしても、そのバランスは難しいですが、ポジションを取るということは大切なことなのです。

おわりに

２０２０年4月現在、世界的に新型コロナウィルスが大流行している。

日本ももちろん例外ではなく、テレビをつけるとその話題で持ちきりだ。

連日増える感染者数と死亡者数にどうしても暗い気持ちになってしまうが、こういう時こそ「批判する力」が大切だと考えている。

私の本業はイベントバーの経営だが、早い段階から、「感染拡大防止のために三密を避けるように」と言われてきた。

バーに人が集まり飲食しながら歓談するシチュエーションはまさし

く密閉・密室・密接であり、当然店舗は休業に追い込まれている。
まだ国から具体的な支援もなく、生活がかかっている人も多くいるというのに、営業しようものなら世間から悪者にされるような情勢である。

しかし、本当にそれでいいのか。

「多くの命がかかっているから」という理由であらゆることを正当化してしまうと、われわれが勝ち取ってきた歴史的権利を自ら捨ててしまうことにもなりかねない。
営業の自由や移動の自由は本来ものすごく大切なことで、不可侵なものであるはず、というのも一意見だ。

今回の新型コロナウィルス騒動は、明らかに全体主義を呼び起こしている。

「自主的に辞めろ」という圧力で全員が同じようにしなくてはいけなくなる、それが正しいことだとする意見がSNS上で多く見られる。

例えばYouTubeも全体主義が起こりやすい媒体だ。

「コロナでも外に出よう」とはいまとてもじゃないけど言える状況にない。

そこを、やるかどうかは別として、「言える」ということが大切なのである。

つまり大事なのは、「感染を広げないために活動を自粛する」「営業も移動も個人に与えられた権利なので自粛はしない」そういった意見がフラットにどちらでも選べるような状態でないといけないということだ。

圧力によって片方の意見を追い落とすということが、たとえ非常時だとしてもあってはならないのだ。

むしろ私自身は営業自粛・外出自粛をすることが重要だと考えているが、あえて対立する論理を自分の頭の中で組み立てて、戦わせてみるということは非常に大事だ。

当然こちらのほうが正しいとみんなが思っていることをただ鵜呑みにして思考をやめるのではなく、その逆の論理というのをなじませてみる。

論理と論理を戦わせる、そういった訓練を日常的にしているというのが望ましい。

そこかしこにフェイクは溢れているし、全体主義の到来はもはや避けられないことのようにも感じるが、この本を通じてそれに抗う個人を一人でも多く仲間にできればとても幸せなことだ。

２０２０年４月
えらいてんちょう（矢内東紀）

えらいてんちょう

矢内東紀（やうち・はるき）

１９９０年生まれ。慶応大学経済学部卒。現在は作家、経営コンサルタント、ユーチューバー、投資家として活動する傍ら、２０１９年には政治団体「しょぼい政党」を立ち上げるなど、幅広い分野で活動中。２０１５年にリサイクルショップを開店し、その後、知人が廃業させる予定だった塾の経営を引き継いで軌道に乗せる。16年に地元・池袋でイベントバー「エデン」を開店させ、事業を拡大。18年、初の著書『しょぼい起業で生きていく』（イースト・プレス）がベストセラーに。その他の著書に『しょぼ婚のすすめ 恋人と結婚してはいけません！』『ビジネスで勝つネットゲリラ戦術【詳説】』『静止力 地元の名士になりなさい』『「ＮＨ

Kから国民を守る党」の研究』（いずれもKKベストセラーズ）、内田樹との共著『しょぼい生活革命』（晶文社）がある。YouTube「えらてんチャンネル」と「やうちはるき えらいてんちょう」の合計登録者数は約18万人（2020年4月20日現在）。Twitterアカウント@eraitencho

フェイクを見抜く最強の武器

批判力

ひはんりょく

2020年6月10日　初版第1刷発行

著　者　えらいてんちょう(矢内東紀)

発行者　岩野裕一

発行所　株式会社実業之日本社
〒107-0062
東京都港区南青山5-4-30
CoSTUME NATIONAL Aoyama Complex 2F
電話(編集) 03-6809-0452
(販売) 03-6809-0495
https://www.j-n.co.jp/

印刷・製本　大日本印刷株式会社

ISBN 978-4-408-33919-1(新企画)